とるにたらない美術——ラッセン、心霊写真、レンダリング・ポルノ

はじめに――菊畑茂久馬（もくま）から考える

とるにたらないとされているにもかかわらず、広く認知されている視覚文化を取り上げ、議論喚起型の問題を提起すること。アーティストである筆者は、このようなステートメントとともに10年以上にわたり作家活動をしてきた。

クリスチャン・ラッセン、心霊写真、レンダリング・ポルノ（２０２０年頃に台頭したCG表現のムーブメント）など――本書には、一見したところ高尚でもなければ、取り立てて低俗でもない、いわば「とるにたらない」モチーフたちが並んでいる。それらはしかし、なぜだか無視できなかったり、時には人々から強く反発されたりもしてきたモチーフだ。

何かに対して「好きだ」と感じることと同様に、何かに対して「嫌いだ」と感じることからもその人の性格がわかることがある。「好き／嫌い」という感情はあくまでも主観的なものであり、客観的に説明しきることはできない。だからこそ、その理由をたどればたどるほど、その判断の奥に潜むブラックボックスが浮かび上がることがある。それはその人の無意識であり「自画像」のようなものでもあるだろう。

このような考えのもと、筆者は本書に登場する「とるにたらないもの」の観察と考察を始めたことがあった。なぜならその作業を通じて、とるにたらないものを、にもかかわらず、好んだり嫌ったりする人々――たとえば「日本社会」や「美術界」など――の肖像を描くことができるかもしれないと考えたからだ。

このように書くと勘づく読者もいるかもしれないが、この作業はかなりの部分で筆者が自分自身の「自画像」を描こうとする作業とも重なっている。そこで以下にて、本書の性質を説明するために筆者の自分語りを経由することを許していただきたい。

*

筆者はアーティストである。美術作品を制作し、展覧会などで発表することを生業としてきた。生まれたのは1989（平成元）年のこと。物心ついた90年代前半はまだバブルの余韻が残る時代で、ラッセンのように「アーバン」で「アメリカ的なイメージ」が町のそこかしこに残っていた。とりわけ米軍基地のある山口県岩国市で過ごした幼少期には、椰子の木が並ぶ県道沿いの風景を見て育つことになったが、いま振り返るとそれはきわめて「アメリカ的」な風景だった。

その一方、実家の客間には小さなラッセンの絵が飾られていた。あまり使われていない一室に飾られていたその絵はどこか異様で、子ども心にまじまじと眺めていたことを覚えている。しかしいつしかそんな絵の存在も忘れてしまい、十数年の年月が経過した。そんなある日のこと、ふとしたきっかけでその光景を思い出したことから本書の物語は始まることとなる。

それは、２０１２年2月26日のことだった。当時ぼくは武蔵野美術大学に通う学生で、神奈川県相模原市にあるショッピングモール「アリオ橋本」に向かっていた。訪問の目的は、この場所で開催中の「クリスチャン・ラッセン来日展」を鑑賞することである。

ラッセンは、日本ではタレント的な知名度を誇るアーティストだ。美術にそれほど詳しくない層からは高い人気を集めたが、美術に多少なりとも詳しい層からは無視、あるいは嫌悪されてきた。そんな人物の展覧会を訪れることになったのは、その数日前に参加したとある飲み会で、ラッセンをテーマにした展覧会を企画するという損な役回りを負わされてしまったことに起因する。

そこには、20代前半の若い美術関係者たちが集まっていた。アーティスト、キュレーター、学生などが不定期で中華料理屋に集まり、他愛もない話をする無目的な会だ。その中でふと、誰かが「ラッセンっていいたよね」と漏らした一言が起爆剤となり、各々が「私のラッセン体験」を語る流れが発生した。「街でしつこく勧誘されてさ」「中学の友だちがラッセン好きで」「よく行く定食屋にポスターが貼ってあって」などと大盛り上がりである。

最初のころはそのおしゃべりを面白おかしく聞いていた。しかし次第に「あれとは一緒にされたくないよな」といわんばかりの語り口が気になり始め、その選民的な自意識に嫌気がさすようになってきた。そこでつい「でもさ、ラッセンの絵もちゃんと見たらいいんじゃないかな?」とこぼしたところ、のちに「ラッセン展」を共同企画することになる大下裕司にその言葉を拾われてしまった。「じゃあ、ラッセンの展覧会を企画してみたら?」──あまりに無邪気な応答に最初は面食らったものの、よく考えてみるとたしかに悪くないアイデアかもしれないと思った。

ラッセンの絵を思い出そうとすると、うすぼんやりとしたブルーのイメージが浮かんでくる。しかしそのディテールは霞がかかり、はっきりと思い出すことができない。あれほど有名であるにもかかわらず、そもそも作品のディテールを思い出せないことに驚かされてしまうのだ。

唯一具体的に思い浮かんだのは、実家に飾られていた《マザーズ・ラブ》(1993年)だ。イルカの母子が仲良く寄り添う様子が描かれた絵で、高級車のようにテラテラした質感のイルカの周りを珊瑚や熱帯魚が漂っている。魚の表情からその感情を想像するのが難しいように、その絵がどんな意図をもって描かれたのかがわからないと思った。しかし当時は、そんな無愛想な他者性がクールでアーバンなものに感じられ、幼心に「何だかすごい」と思ったのだった。改めて振り返ると、あの鑑賞体験は何だったのだろうか?

もしかすると、これは日本の美術の「盲点」かもしれないと思った。誰もが知っているにもかかわらず、「とるにたらない」と決めつけられることによって、誰もが直視してこなかった美術の死角。

それを敢えて見つめることによって、盲点の側から「美術」の自画像を浮かび上がらせることができるのではないか――このときに初めてそんな風に発想することになった。

アリオ橋本に向かったのはその数日後のことだった。到着するとすぐに、2階の奥にあるアリオホールで開催中の「クリスチャン・ラッセン来日展」の会場へと歩を進めた。アールビバン社が主催する展示会の入口には、ラッセンのバイオグラフィが大きく出力されたパーテーションが並んでいた。まずは列に並び、受付でアンケートに答え、景品のポスターを片手に会場に入る。主な客層は20代から30代くらいだろうか、若いカップルやファミリーの姿が目立つ。壁面には黒く光沢のあるフレームに囲われた作品が並び、会場の中央では数組の商談がおこなわれていた。そうか、ここは「絵を買う場」なのか。通常の展覧会に比べて、どこかそわそわとした高揚感が漂っている。

そんな中、熱心に絵を見つめるカップルの姿が目に留まった。あまり展覧会慣れしていない様子の2人がどんな話をしているのかが気になり、申し訳なく思いながらも会話に耳をそばだててみた。「すごいね」「本当にきれい」――聞こえてきたのはそんな言葉だ。取り立てて珍しいものではない。しかし彼らの声色はうわずり、演技ではない調子で熱がこもっている。そのことになぜだか困惑してしまった。

というのも、その2人の熱気にはどこか身に覚えがあったからだった。たしかにラッセンの作品は「すごい」し「きれい」である。2人が抱いていたと思われる感情は、かつて実家の一室でラッセンの絵を眺めていたとき、あるいは家族に連れられてラッセン展の会場を訪れたときに自分自身が抱いた感情にそっくりだった。

この日ラッセン展を訪問することがなければ、そんな心の動きなどは「とるにたらない」ものとして思い出すことはなかっただろう。にもかかわらず、この感情に改めて向き合いたくなったのは、自身の原体験ともいえるこの感動を「陳腐だ」と自己否定することによって、初めて「美術」と呼ばれる制度を内面化したプロセスがあったことを思い出したからだった。この困惑と内省（自分語り）からぼくの「ラッセン語り」は始まることとなる。

＊

2012年に東京都内で「ラッセン展」と題した展覧会を企画し（共同企画者は、先述した大下裕司）、13年に『ラッセンとは何だったのか？』（フィルムアート社）という論考集を上梓した。

前者は「ラッセン展」というタイトルであるものの、ラッセンの個展ではなかった。ラッセンの作品に加えて、日展や院展に代表される公募団体展系の作家、そして現代美術系の作家が三つ巴になるようなキュレーション展だった。「美術」という日本語が内包する分断を明らかにするとともに、作品分析に徹する態度を示すことで、高度な「文脈ゲーム」に陥りつつあった美術の現状を批判したいという思惑がそこにはあったのだ。

その翌年に刊行された論集では、こうした態度をより先鋭化させることにした。また同書では「ヒロ・ヤマガタ」「岡本太郎」「デパート美術」「ヤンキー文化」「渋谷系」など、多種多様なキーワードが行き交うこととなったが、そのベースには「ラッセン展」の会場で実作品を前にしてさまざまな人々とおこなった対話があった。

ぼくが常に意識していたのは、ラッセン語りを表現の問題として、そして自分自身の問題として受け止めることだった。そして、こうした態度をとるにあたって最も参考にしたのがアーティストの菊畑茂久馬である。

1935年に長崎で生まれた菊畑は、57年に前衛美術集団「九州派」に参加した。60年代になると東京の美術界へ進出し、当時一世を風靡していた「反芸術」の中心人物としてその名が知られることになる。61年に制作された《奴隷系図》は、御神体のような2本の丸太に5円玉がびっしりと打ちつけられた異形の作品だ。「現代美術」というよりは土着的な呪物のようで、61年に国立近代美術館で展示された際には、鑑賞者が自発的にお賽銭を捧げる出来事まで発生したという。

１９６４年に反芸術の震源地だった「読売アンデパンダン」展が突如として中止されると、菊畑の周りの作家たちは次々と海外などへ活動の場を移していった。頭角を現していた菊畑は、ほかの誰よりも海外進出のチャンスがあったにもかかわらず、一転して地元・福岡に戻ることを選んだ。

そんな菊畑が１９７０年代からのめり込んでいったのが、藤田嗣治の戦争画や山本作兵衛の炭鉱画について論じることである。いまや前者は藤田の代表作とみなされ、後者は世界記憶遺産に登録されているが、当時としては（特に戦争画は）誰しも言及を避けようとする「タブー」だった。

ぼくが最も共感したのは、菊畑がこうしたモチーフに言及するうえでとった態度だ。終戦後に米軍が接収した戦争画は、１９７０年に「無期限貸与」というかたちで日本に返還された。この出来事は、同年に開催された大阪万博のニュースにかき消されるようにひっそりと報道されることとなるが、このニュースに反応したのが菊畑ら「戦争画世代」だった。

菊畑自身の言葉を引けば「戦時中に軍国少年だった」彼は、東京・神田にある美学校を運営していた同世代の今泉省彦や川仁宏らと「戦争画、帰ってきたらしいな！」「おう、一杯やろうや！」[1]などとやり取りし、各々の幼いころの戦争画体験について語り合ったという。その席でうっかり「あの絵達にはなにかある」と「口をすべらしたこと」[2]がすべてのきっかけになった。

その話を聞きつけたのが、当時『美術手帖』の編集長だった福住治夫だ。71年に菊畑を美学校で待ち伏せして「戦争画について何か書いてくれ」「いろんな人に頼んだが、みんな断ってくる。書いてくれ！」[3]と懇願されたことで、最初はしぶしぶ執筆を引き受けることになった。そのときのムードについて、菊畑は「ほとんどの人はシーンとしていた。むしろちょっとやっかいな、亡霊のようなものが帰ってきたという重たい気分があったと思う」[4]と振り返っている。

菊畑のアプローチがほかと異なっていたのは、第一にそれが「自分の問題」として語られたことにあった。1935年生まれの菊畑は、まさに戦争真っただ中の時代に幼少期を過ごしている。それゆえに軍国少年でもあったというが、かつての自身の姿を「にわかづくりの戦後思想」[5]では片づけることができなかったと後年のインタビューで語っている。「戦争画なんて見たくもないという絵描きが山ほどおったなかで、あれに決着をつけなきゃ戦後の僕はみんな嘘になると感じたんです」[6]と言うのだ。

加えて、アーティストの菊畑にとってそれは「表現の問題」でもあった。同じインタビューの中で彼は次のように答えている。

さまざまな時代や思想風土の中で生まれる表現は一筋縄ではいかない。その意味で戦争画には、濃密なテキストが充満しています。絵に描かれたのが戦争であったとしても、そのテーマ性を克服して、表現を問う作業をしなければいけない。[7]

国家の要請と画家の絵が合致したからといって、いい絵はいい絵、ではすまない。もう一方で、地獄の底から生まれても、輝き続ける絵もある。絵というのは、こんなふうに殺戮を描くようなところまでいくんだぞ、そもそもこうした悪魔性を持っているんだぞ、ということを見過ごしたらいけない。[8]

当時の美術界にあって戦争画は第一に「黙殺の対象」であり、稀に言及されることはあっても、それが「表現の問題」として語られることはなかった。

たとえば、比較的早い時期から戦争画に言及していた人物に美術評論家の針生一郎がいる。針生は「アメリカにある戦争画の返還を要求し、これをわたしたちの歴史の負の記念碑として、近代日本の恥部の象徴として、どこかに常陳することを何度か主張したことがある」[9]と語っていたものの、菊畑にいわせれば、こうした主張も戦争画に対する複雑な心情の「ほんの一片」を映しているに過ぎないという。曰く「その悪魔性を、イデオロギーで料理してはいけない」[10]のだ。

かといって、公的な要請と画家個人の仕事が合致すればいいわけではない。そう考える菊畑特有の態度は、著書『フジタよ眠れ』(1978年)に収められた次の一文に集約されている――「戦争画讃美と断罪を撫でて往復する振子のつけ根にさかのぼり、絵画として批評による克服を果さなければならない」[11]。

「戦争画讃美と断罪」とは、左右両極の「イデオロギー」のことである。戦争画におけるそのつけ根には絵画があり、絵画には絵画の悪魔性がある。それゆえに幼少期の菊畑は戦争画の大画面に「ふるえるような感動」を抱き、その意味を「多少考察が粗略になるとしても今わたしにはどうしても問いたださなければならない[12]」と考えたのだ。

このように「表現の問題」と「自分語り」が重なった菊畑の語り口に、ぼくは大きな影響を受けることになった。それはそのまま、子どものころに実家の客間やラッセン展の会場で感じたことの意味を問いただす作業へとパラフレーズされる。

ラッセンの絵画は（主に１９９０年代の日本社会における）熱狂的なブームと（主に美術関係者からの）激しい嫌悪の両極をみるに、まるで経済大国・日本が邁進した経済戦争における戦争画だったかのように見える。太平洋戦争と経済戦争における2つの「戦争画」——それらの核にあるのは「生活思想」という概念だ。その詳細については、第一部「クリスチャン・ラッセンと日本」で論じている。

またここで詳述することはできなかったが、ぼくは２０１２年に始めた「ラッセン語り」と並行して、17年には「行き場のない写真」を回収する「心霊写真」という名のプロジェクトもスタートさせている。これも菊畑のモデルに当てはめてみれば、市井の画家である山本作兵衛のアマチュアリズムに表現の本質が見出されたように、市井の人々の「記念撮影」という行為に表現の本質を見出そうとした試みであるといえるのかもしれない。

本書には、ほかにもさまざまなモチーフが登場することになるが、いずれにおいてもベースには、それをいかに「自身の問題として語るか」という視点が含まれているのだ。

＊

以上が本書を貫通する問題意識である。最後に、本書の構成を解説することで「はじめに」を締め括りたい。

第一部には、２０１２年に取り組み始めた「ラッセン」と「心霊写真」にまつわるテキストとアートワークを配置した。前者は先述の「ラッセン展」に、後者はその名も「心霊写真」と題した展覧会にその始まりがある。この部に収められたテキストの多くは、プレスリリースやセルフレビューなど、状況に迫られて執筆したテキストをもとに発展させたものだ。

第二部では、作品の制作ノートから書き起こしたテキストを配置することにした。具体的には、レンダリング・ポルノと呼ばれるＣＧ表現のムーブメントをはじめ、ノルウェーで興ったスローテレビ、オーストラリア発のＡＩ表現、コンセプチュアル・アート、没入と演劇性、ロマン主義絵画、ハワイ浄土真宗、原爆慰霊碑などの考察を通じて、ぼくが「アンリアルな風景」と呼ぶ風景表現について論じている。

第三部では、より各論的なテキストをまとめてみた。アール・ローランやバルテュスや佐村河内守など、作家としてはマージナルな位置にいる人々を通じて「美術」や「創造」と呼ばれるものの限界を探った部といえる。本書の中では唯一自作と直接結びつきのないテキスト群でありながら、作家活動の節々で必要に迫られて書き残したテキスト群でもある。

第四部では、近年取り組んでいる「ロードムービー風」のテキストをまとめた。北関東、津山、ハワイなどを移動するプロセスを、ぼく自身がこの10年にわたってさまざまなテキストを綴ってきたプロセスに重ね合わせるように「旅行記」のかたちで再提示している。また最後の「ハワイ紀行」は本書のために2022年に書き下ろしたテキストである。

それらに加えて、随所にアートワークが散りばめられている。

まず第一部の終わりには《One Million Seeings》と題するビジュアルページを配置した。これはぼくが2017年から回収してきた「行き場のない写真」の「行き場」をつくる試みとして、24時間にわたって写真を見続けるパフォーマンスを記録した映像作品の再構成だ。

続いて、第二部の末尾にあるビジュアルページのタイトルは《Waiting for》。全編フルCGで制作されたこの作品は、長さ33時間に及ぶCGアニメーションである。同作では、CGIでつくられた仮想空間の中で、決して姿を見せることのない実在する動物の〈確認できた限りの〉全種名を読み上げるナレーション・パフォーマンスをおこなった。第二部で論じた「アンリアルな風景」を体現する作品である。

そして巻末に収められたアートワーク《Shadowing》は、本書刊行時点における最新作だ。2019年に始めたハワイにおけるフィールドワークの成果であり、プリニウスの「絵画の起源」から、ハワイで独自発展したピジン・イングリッシュや民間伝承、そして最新のフェイストラッキング技術などを広義の「シャドーイング」として再解釈した作品である。同作のビジュアルに加えて、ぼくがハワイで撮影した写真を散りばめることによって、第四部の「ハワイ紀行」と作品を視覚的に補完してみた。

以上が本書の大まかな構成だ。

本書のタイトルは「とるにたらない美術」であるが、それは決して、ぼくが本書に収められたモチーフを「とるにたらない〟だけ〟のもの」として捉えていることを意味しない。むしろ、とるにたらないにもかかわらず、なぜだか無視できない題材に向き合うことによって、その奥に潜む暗部に光を当てようとしてきた。そのため、実をいえば「とるにたらない」という言葉以上に「にもかかわらず」という言葉に力点を置いているところがある。

このことをいい換えれば、ぼくにとっての美術はどこか再帰的なものなのかもしれない。一度は無意味・無価値の烙印を押されながらも、なぜだかわからない理由で想起されてしまうイメージ。それはなぜ想起されてしまったのだろうか？　そのわけを個別にたどってみた結果が本書の試みであるといえる。

なぜ、とるにたらないにもかかわらず、ラッセンは／心霊写真は／レンダリング・ポルノは、これほどまでに気になってしまうのだろうか？　そのわけを探る旅へと出かけてみることにしよう。

1　菊畑茂久馬「菊畑茂久馬インタビュー　目覚めよフジタ」『美術手帖』2015年9月号、美術出版社、80頁。
2　菊畑茂久馬「フジタよ眠れ」『フジタよ眠れ――絵描きと戦争』葦書房、1978年、7頁。
3　菊畑「菊畑茂久馬インタビュー　目覚めよフジタ」81頁。
4　同前。
5　同前。
6　同前。
7　同前、85―86頁。
8　同前。
9　菊畑『フジタよ眠れ』8頁。

10　菊畑「菊畑茂久馬インタビュー　目覚めよフジタ」87頁。

11　菊畑『フジタよ眠れ』8頁。

12　同前、9頁。

第一部

クリスチャン・ラッセンと日本

イントロダクション

2011年4月29日、クリスチャン・リース・ラッセンは仙台の避難所にいた。東日本大震災からわずか49日しか経っておらず、被災の爪痕も生々しいこの時期に、外国人としては初めて東北の被災地をチャリティー訪問していたのだ。その際にラッセンが訪れた仙台市立六郷中学校にも、津波が到達している。子どものころからサーフィンをこよなく愛し、「私は常に波と共に生きている」[1]と語るラッセンにとって、町を、車を、人々を飲み込んだあの津波は少なからず衝撃的であったはずだ。

そして奇しくも、その日はラッセンの誕生日でもあった。1956年3月11日にアメリカ西海岸・メンドシーノで生まれたラッセンは、11歳のときに一家でハワイに移り住んでいる。日本との繋がりができたのは、30代を迎えた89年のこと。アールビバン株式会社と作品の販売契約を締結したことにより、それまではハワイ・ローカルの作家だったラッセンは、日本で巨万の富を生む存在へと変貌していった。この時期の絵画ブームを牽引したラッセンの作品は、当時の日本人にとって「アート」の代名詞であったといっても過言ではない。

その人気は、市場規模の大きさからも見て取ることができる。２０２０年の時点で、ジャンル別に見ると、洋画の年間売上高が６０３億円、日本画が３５８億円、現代美術が３７３億円であったのに対して、[2]ラッセンが牽引した「インテリアアート」の市場規模は当時２０００億円にも上っていた。[3]時代の違いもあるにせよ、この数字からは、海の向こうから突如襲来した「サーファー画家」が、当時の日本でいかに熱狂的に受け入れられていたのかを理解することができる。

しかしその一方で、ラッセンは一部の人々から激しく嫌悪されてもいた。世界的なアーティストである奈良美智は、筆者も登壇したトークイベントの壇上で「奈良さん好きな人とラッセン好きな人は同じだと思う」という発言がなされたことを知るやいなや、Twitterに「つうか、俺、ラッセン大嫌い」と投稿し、もし本当にラッセンと自身のファン層が被るのであれば「発表を辞めます。本気で」とまでツイート[4]している。

この激しい嫌悪感の正体は何なのだろうか？　アーティストの中ザワヒデキは「現代美術関係者以外には多少わかりにくいかもしれないが」と前置きしながらも、ラッセンの作品は「視界に入っただけで眼も心も汚されたような気分になる」と、一般からの人気とは裏腹に、アート関係者がいかに強くラッセンを嫌悪していたのかを代弁[5]している。

強い憧れと嫌悪――ラッセンをめぐる物語はそれだけでは終わらない。２０１０年代初頭、ラッセンは生まれ故郷であるアメリカで「再発見」されることになった。インターネット上で盛り上がりつつあったシーパンクと呼ばれるムーブメントにおいて、ラッセンからの影響を想わせるミュージックビデオやヘアスタイルが流行し始めたのだ。代表的なクリエイターであるウルトラデーモンのミュージックビデオ[6]を見てみると、1990年代的なレトロフューチャーの3D空間を無数のイルカが飛び跳ねる様子が描かれている。ポストバブル世代である彼／彼女らは、自らが生まれた時代に異国で流行していたポップなイルカたちを、インターネットの海で再発見したのだった。

その一方、ラッセンブームの「本国」日本では、2015年ごろから奇妙な一発芸が流行していた。お笑い芸人の永野が「ゴッホより、ピカソより、ラッセンが好き！」と絶叫するネタで人気を博したのだ。また、16年に日清食品は、カップ麺「どん兵衛」とラッセンのコラボレーションを発表。満月に見立てたかき揚げをラッセンが「かき上げる」というキャンペーンが発表されて話題を呼んだ。さらに17年には、アールビバンの主催するラッセンの原画展が「超ラッセン原画展」というネタ的なネーミングへと改められている。こうしてラッセンは、アーバンで容姿端麗なイケメン画家から、愛すべきネタ的なキャラクターへと再々度の変貌を遂げることになった。

そしてラッセンをめぐる物語は現代へたどり着くことになる。日本進出から30年以上が経過し、憧れ、嫌悪、笑いとそのかたちを変えながら、一貫して日本社会とともにあったラッセンとはいかなる人物だったのだろうか？

ここでひとつだけ迂回することを許していただきたい。普段はアーティストとして活動している筆者は、謎めいたイルカの絵が実家の一室に飾られていた幼少期より、ラッセンの作品に対して並々ならぬ感情を抱いてきた。それは単なる憧れでも嫌悪でも笑いでもない。この絵には「何かがある」というざわめきのような感覚だった。

筆者が敬愛するアーティストに菊畑茂久馬がいる。菊畑は、東京から遠く離れた九州で炭鉱画を描き続けた山本作兵衛にいち早く注目し、さらには、当時の美術界でタブーとされていた藤田嗣治の戦争画に「何かがある」と考え、自身がアーティストでありながら、その価値を問う執筆活動を旺盛に展開した。

そのことにより、山本の炭鉱画は世界記憶遺産に登録され、藤田の戦争画は画家の代表作として大きな評価を得ることになる。菊畑の語りぶりに魅力を感じるのは、それが美術の「中央」から「周縁」に対する大上段な語りではなく、むしろ同じ「周縁」から発せられる声であるように感じられるからだ。この語りぶりを知るにつれ、同じく美術の「周縁」に追いやられたアーティスト、ラッセンを語る言葉について大きなヒントをもらっているように感じる。

ぼくもまた、ラッセンの絵には「何かがある」と信じている。しかも、その正体は未だに謎に包まれたままだ。日本人がラッセンと出会って30年以上が経ったいま、その絵に秘められた「何か」とは何なのか。その歩みをたどるかたちで、ラッセンの絵の内に迫ってみたい。

1　ハワイ

メンドシーノ

クリスチャン・リース・ラッセンは、1956年3月11日、カリフォルニア州メンドシーノ郡で生まれた。太平洋に面したワインの産地として知られるこの土地には、8000年前から先住民のポモ族が暮らしていた。

西洋人による入植が始まったのは、1850年ごろのことである。きっかけになったのは、高さ100メートル近くにもなる巨大樹・セコイアの森が発見されたことだった。このことがきっかけになって、メンドシーノはアメリカ西海岸有数の木材貿易拠点として発展することになる。荒々しい労働者の集まる一次産業の町――ラッセンの父ウォルターも、そんな町の職人のひとりだった。

メンドシーノ生まれのウォルターは、ラッセンの祖父とともにセコイアの森のすぐそばにログハウスを建てて暮らしていた。すぐ近くには野生のシカやアライグマが生息しており、海にも近い自然豊かな環境だったという。この家がラッセンの生家となり、アメリカならではの雄大な自然がラッセン少年の原風景になった。

しかしラッセンの生まれた1956年時点で、メンドシーノの一次産業は衰退し、町はゴーストタウンと化しつつあった。そんな町を救ったのが、ひとりのアーティストである。カリフォルニア大学バークレー校で建築を学んだアーティストのビル・ザッカは、57年にメンドシーノに移り住んだ。その2年後の59年、ザッカは５５００ドルで購入した邸宅を改修し、メンドシーノ・アート・センターを設立。このことが呼び水となり、メンドシーノの町は再生していくのだった。ラッセンがメンドシーノで暮らした幼少期は、まさにこの「再生」の最中にあたる。

ちなみにザッカは１９６４年に来日しており、版画家の吉田遠志（明治〜大正期を代表する風景画家・吉田博の息子）と知遇を得たことで、71年に遠志をメンドシーノ・アート・センターに講師として招聘している。メンドシーノでの体験に刺激を受けた遠志は、帰国後に長野県美麻村でフリースクール「美麻遊学舎」を開校すると、工芸ワークショップからヒッピー祭まで、多彩なプログラムを実施するコミュニティを形成した。99年の失火による焼失まで、このスクールは伝説的なコミュニティとして支持されることとなるが、その着想源になったのがラッセンの生まれ故郷メンドシーノだったのだ。

このように、日本との歴史的な関わりをもつメンドシーノは、第一に自然豊かなポモ族の土地であり、第二に荒々しい労働者の集う町であり、第三に芸術によって再生した町だった。メンドシーノの第二の顔を父ウォルターが体現していたとすると、第三の顔を体現していたのは母キャロルである。ラッセンによれば、キャロルは「スピリチュアルな存在」であり「精神面でも実践面でも才能のあるアーティスト」であったという。

そんなラッセンは、キャロルにとって3人目の子どもだった。1人目はダイアン、2人目はロンと名づけられ、それぞれラッセンの姉と兄にあたる。ラッセンは3人姉弟の末っ子になるが、次男の誕生をめぐって生じたある危機について触れておきたい。

ロンを出産したあと、母キャロルはポリオに感染し、人工肺が必要になるほど深刻な状況に陥ってしまった。医師からは「これ以上は出産しないように」と忠告されるも、キャロルは忠告を無視して3人目の出産を決意する。母体にとって大変な負担のかかる出産となったが、文字通り決死の覚悟で生まれてきたのが末っ子のクリスチャンだった。ラッセン一家にとって、その誕生自体が奇跡のような子どもだったのである。

印象的な「クリスチャン」というファーストネームは、こうした出自に由来している。末っ子であり、奇跡の誕生を遂げたラッセン少年は、何不自由なくのびのびと育てられたようだ。両親からの愛情は深く大きなもので、この時代のラッセンの幸せな暮らしぶりを伝えるエピソードは多い。中でも最も象徴的な出来事は、よりよい子育て環境を求めたことによる移住の決断だった。子どもを育てるために理想的で自然豊かな環境。その候補地は、ウォルターがかつて「任務」の最中に立ち寄ったことのある太平洋上の楽園——ハワイだった。

1945年9月2日、東京湾上に停泊するアメリカ海軍の戦艦ミズーリの甲板上で、降伏文書調印式が執りおこなわれた。甲板には、連合国軍最高司令官のダグラス・マッカーサーをはじめ、連合国軍高官が勢揃いしている。緊迫した空気の張り詰める調印式に、ラッセンの父ウォルターはミズーリの乗組員として参加していた。この日に至るまで、ミズーリは数々の戦闘をくぐり抜けてきた。激戦で知られる硫黄島の戦いや沖縄戦をはじめ、茨城県の工場地帯や北海道の製鉄所も破壊した。半年以上にもわたる長くて過酷な戦闘が始まる前、ミズーリの乗組員が最後に過ごした安息の地がハワイだった。

1944年12月24日から翌年1月2日までの約1週間、アメリカ本土から日本を目指すミズーリはハワイに寄港している。ミズーリ以外にも、多くの艦船が日本に向かう途上でハワイに立ち寄っており、戦地に向かう前の「楽園」でのひとときが、戦後ハワイに多くの退役軍人を呼び戻すきっかけになった。ウォルターもそのひとりであり、67年にラッセン一家はハワイへ移り住むことを決意したのである。

いまでこそ観光のイメージが強いハワイであるが、その観光産業の成り立ちにおいて、戦争の歴史は切っても切り離すことができない。1898年にアメリカに併合されるまでの間、ハワイには独立した王国が存在していた。アジア、アメリカ、オセアニアの中間に位置するハワイは、アメリカにとって喉から手が出るほど、地政学的に魅力的な土地だった。19世紀から続く北米大陸の西漸運動が西海岸に達したことで、さらなるフロンティアを求めたアメリカ人が太平洋の島国にたどり着くのは必然の流れだったとさえいえる。アメリカの脅威が強まり、存亡の危機を迎えるようになったハワイ王国は、アメリカと逆向きにある「隣国」日本に助けを求めた。

最も知られている出来事は、ハワイ王国の第7代国王デイヴィッド・カラカウアが、明治維新後の日本を初めて公式訪問した国家元首であるということだ。その際、カラカウアは明治天皇に謁見し、日本とハワイの連邦化を提案するとともに、ハワイ王朝と皇室の縁談をもちかけている。これに対し、アメリカとの対立を恐れた明治政府は、カラカウアの申し出を断ったものの、その返礼として日本からハワイへの労働者の移住を約束した。これによって1885年から94年までの間に約3万人の人々が官約移民としてハワイに移住することになり、2000年までの長きにわたり、ハワイでは日系人が州内最大の人種を構成することとなる。

こうした両国の友好を危険視したのがアメリカだった。ハワイと日本の人的交流は、結果的にアメリカによるハワイ併合を急がせたともいわれている。1893年に武力によってハワイ王国の女王が退位させられると、翌年にはアメリカ人によるハワイ共和国が建国。98年にアメリカ議会でハワイの併合が可決されたことで、ハワイはアメリカの準州となり、真珠湾に巨大な海軍基地が建設されることになった。現在では、ハワイはアメリカ有数の軍事拠点と化しており、約100万人いるハワイ・オアフ島の人口のうち、6人に1人が真珠湾で働く軍関係者であるといわれている。

こうして「基地の島」になったハワイが、戦後に「観光の島」となるきっかけには、先述したように太平洋戦争の歴史があった。こうしたハワイの歩みを忠実になぞっていたのが、ほかならぬウォルターである。その息子のクリスチャンが、ハワイの観光産業のただ中で、主に観光客を対象にした作品販売をおこなっていたという事実は、こうした歴史的背景なくしては成り立たないものだ。

ラッセン一家がハワイに移り住んだ1967年時点で、末っ子のクリスチャンは11歳だった。ハワイには、日本人にとって馴染み深いワイキキを擁するオアフ島をはじめ、マウイ島、ハワイ島、カウアイ島などの島々が存在するが、ラッセン一家が移住先に選んだのはマウイ島だった。そしてラッセン少年は、マウイ島の古都ラハイナにあるカメハメハ三世小学校に転入することとなる。

筆者も以前この小学校の前を通りかかったことがある。ラハイナで暮らす知人の子どもがこの小学校に通う生徒であり、町案内の際に外から見学させてもらったのだ。小学校の建物は、低層・三角屋根の木造校舎で、いかにも南国らしい風情だった。学校のすぐ裏には真っ青なビーチが広がっており、転校したばかりのラッセン少年もここでサーフィン漬けの日々を送っていたそうだ。マウイに越したラッセン少年の新しい日課は、スクールバスの中での海が見える席の争奪戦だったという。学校に向かいながらその日の波のコンディションをチェックし、学校に着くなり友だちと海まで走り、授業が始まるまでの間サーフィンを楽しむのが新しい日常になった。

そしてこの時代、ラッセンは初めての「画業」を経験することにもなる。マウイでの生活が2年目に差しかかった年、12歳になったラッセンが地元ラハイナのギャラリーで作品を販売してもらう機会を得たのだ。そのときに売れたのは、水彩で描かれたラハイナの風景画だったという。

まだハワイがアメリカに併合される前、ラハイナにはハワイ王国の首都が置かれていた。19世紀には捕鯨の中心地として栄え、港には太平洋中から集まった帆船がマストを並べる光景が広がっていたそうだ。しかし戦後のラハイナは王都でもなければ捕鯨基地でもない、古都の風情を活かした観光地として栄えることになった。海に面したフロント・ストリートを歩けば、おびただしい数の土産物屋、ジュエリーショップ、そしてアートギャラリーを目にすることになる。ラハイナの近隣には、カアナパリやカパルアといった高級リゾート地も存在し、アメリカやカナダから訪れる観光客の多くが、空港とホテルの間に位置するラハイナで観光を楽しむモデルコースができた。したがってラッセンが作品を販売したギャラリーも、こうした観光客をターゲットに据えた店舗だった。ちなみに、マウイ島には日本からの直行便がないため、島内で日本人観光客を見かけることはほとんどない。

12歳にしてギャラリーでの作品販売を経験したラッセンであるが、その少年時代は必ずしも順風満帆ではなかった。14歳のとき、ラッセンの両親は中学校から呼び出され、校長、副校長、担任より「息子さんは絵に没頭するあまり勉強をおろそかにしており、このままでは退学の可能性もある」と告げられたのだ。

あくまでもラッセンの意思を尊重する方針だったキャロルは、教師の忠告を意にも介さなかったという。しかしラッセン自身にまったくプレッシャーがなかったわけではない。このころより、ラッセンは周囲のプレッシャーをはねのけるように、目に見えてわかりやすい「成果」を求め始めたのだ。退学が示唆された翌年、15歳になったラッセンはラハイナのTシャツ会社に自作を売り込み、イルカやクジラがあしらわれたオリジナルTシャツを商品化してもらうことに成功した。この経験は、周囲の大人に一目置かせるのみならず、作品がパブリックに複製流通されるという意味で、ラッセンの人格形成に大きな影響を与えることになった。これ以後、ラッセンは作品の複製／出版(パブリッシュ)に強いこだわりを示すようになり、学校の新聞やポスターにも積極的に絵を寄せている。作品が不特定多数の人目に触れるという形態が、ラッセンの表現にとっては欠かせない要素となっていくのだ。

そして高校に進学したラッセンは、16歳にして地元ラハイナのギャラリーで売上トップを記録することになる。このころになると、教師たちはすでにラッセンの活動を認めざるを得なくなり、ラッセンは頻繁に授業をサボってサーフィンに明け暮れていたようだ。当時の状況について、ラッセン自身は次のように語っている。

ぼくはある意味で賢くなり、「郷に入れば郷に従え」ということを理解しました。そうやって高校の先生からはリスペクトされるようになり、アートに打ち込む時間も増えたんです。[7]

現実主義的なラッセンの性格が伝わってくるエピソードである。このように、思春期を迎えたラッセンにとって、「絵を売ること」は金銭的な利益を得ること以上に、周囲の人間に自らを認めさせ、アイデンティティを確立するための手段になったのだ。

そんなラッセンが、地元ラハイナで自作を出版するラッセン・アート・パブリケーションズを設立することになるのは、ある意味で必然の流れだった。だがそこに至るよりも早く、ラッセンはまずサーファーとして世に知られることになる。

サーフィン

1974年、17歳になったラッセンは、世界的なサーフィン専門誌『Surfer』の表紙を飾ることになった。当時のラッセンは、サーファー仲間のジャッキー・ダン、アルバート・ジェンクス、ジェイミー・バリンジャーなどとつるみ、マウイ島のサーファー・コミュニティの中では名前が知られる存在になりつつあった。

高校卒業後には、サーファーとしてのさらなる成長のために、より高くより大きな波に乗ることができるオアフ島のノースショアへ転居することを決める。世界的なサーフスポットでの新生活を始めたラッセンは、ワイメア湾のすぐ近くの古い家を借り、オーストラリア出身のサーファー、マーク・ウォーレンとマーク・リチャーズとの共同生活を開始した。ちなみにウォーレンは、1974年のサーフィン大会、デューク・カハナモク・インビテーショナルで優勝し、リチャーズはのちにサーフィンのワールドカップで4度の優勝を勝ちとることになるほどの実力者である。こうしたトップサーファーとの交流からも、ラッセンの熱意をうかがい知ることができる。

それからの数年間は、サーフィンのベストシーズンをノースショアで過ごし、オフシーズンはマウイ島で過ごすという生活を続けることになった。そんなラッセンにとって運命的な出来事になったのは、1981年のウィンドサーフィンとの出会いだった。

ウィンドサーフィンは、サーフィンとセーリングを組み合わせた競技で、1980年代に世界的な人気となり、84年のロサンゼルス五輪で初めて正式種目に認定されたマリンスポーツである。ラッセンの第二の故郷であるマウイ島の北岸には、年間を通して安定した強風が吹きつけるホオキパ・ビーチがあり、ウィンドサーフィンの聖地となっている。84年には、マウイ島で世界初の国際プロツアーも開催されることとなるが、ラッセンがウィンドサーフィンと出会った81年時点では、ウィンドサーファーたちが世界中から続々とマウイに集結していた。

子どものころよりアートやサーフィンに打ち込んできたラッセンであるが、その才能はウィンドサーフィンと出会うことで本格的に花開くことになる。１９８０年代半ば、スウォッチのテレビＣＭでウィンドサーフィンの大技「３６０度ループ」を披露し、ヨーロッパのビルボードで紹介されることになったのだ。さらにアメリカのテレビシリーズ「ＰＭマガジン」や「エクストリミスト」にも立て続けに出演することとなる。日本への初めての紹介もウィンドサーフィンがきっかけになった。85年に刊行された書籍『ウィンドサーフィン』（新潮文庫）でマウイ島のサーファーとして紹介されたことで、ラッセンの名前は日本のメディアに登場することになったのだ。[8]

マラ・ワーフ

１９８１年、25歳になったラッセンは地元ラハイナに戻ることを決めた。兄のロンとともに、ラハイナの西端、マラ・ワーフの近くにある家を借りて暮らすことになったのだ。ちなみにこの家のオーナーは、双胴船の発明家カーター・パイルだった。

この時代のラッセンにとって、画家仲間との交流は大きな支えとなっている。中でも、11歳年上の画家、ローレン・アダムスとの交流は重要だった。日本でも版画作品が流通しているアダムスは、海を題材にしたシュールな作風で知られている。最も有名なのは「失われたムー大陸」をテーマにしたシリーズで、ヤシの木やビーチといった南国のモチーフに、ギリシャ風の古代建築がかけ合わされることが多い。整然と並んだ列柱が遠近感を強調する構図は、ジョルジョ・デ・キリコを想起させる。

自作のアートプリントを出版する事業にも取り組んでいたアダムスは、そのビジネスモデルにおいてもラッセンに影響を与えることになった。さらに2人はラッセンの自宅に集まると、部屋に籠もって絵画の共同制作をおこなうこともあったそうだ。たしかに2人の作品を見比べてみると、その波の描き方に共通点を見出すことができる。アダムスが描く波の絵では、不定形な波を絵の主役にするためだろう、波そのものが大きく「造形」されていることがわかる。まるで意志をもっているようにうねる波の描き方［図1］は、ラッセンにも影響を与えたようだ。アダムスとの出会いのあとに描かれた《ブルー・ハナ・ムーン》（1987年）［図2］のような作品を見てみると、その「シュール」な波の造形にアダムスからの影響を見て取ることができる。しかし、サーファーとして数え切れないほどの波に乗ってきたラッセンにとって、アダムスの波の捉え方は十分なものではなかった。アダムスをはじめ、同じ「マリンアート」界隈の作家からの影響を受けながら、ラッセンがいかにして自作をアップデートさせていったのかについては、第三節の「海」で詳しく見ていくことにしよう。

先述したように、1981年にウィンドサーフィンと出会ったラッセンは、地元ラハイナからマウイ島北岸のホオキパ・ビーチまで車で通い続けていたようだ。しかし、西岸に位置するラハイナからホオキパ・ビーチまでは、マウイ島を対角線上に横切る必要があり、車で片道1時間ほどかかる。決して通いやすい距離ではなかったため、85年にラッセンはマウイ島北岸に転居することを決めた。

新たな拠点に選ばれたのは、19世紀のプランテーション時代に栄えた町パイアとカフルイ空港の中間に位置する小さな集落、スプレッケルズビルだった。この土地には、かつて世界最大のサトウキビ・プランテーションが存在していた。いまでこそ観光地として人気の高いパイアに向かうまでの通過地点に過ぎないスプレッケルズビルであるが、当時は多くの日系人もこの地に居住していたようだ。

プランテーション時代の日系移民の労働風景を伝える絵として、アメリカ人画家のジョセフ・ドワイト・ストロングによる《明治拾八年に於ける布哇砂糖耕地の情景》（1885年）［図3］という作品がある。手前には日本人夫婦と幼い子どもが描かれ、画面の奥には大きなナタを振るう労働者や馬に跨って監視する白人が描かれている。そしてこの絵の舞台になったのが、ほかでもないこのスプレッケルズビルだったのだ。

ラッセンがこの土地に移り住んだ1985年は、偶然にもストロングがスプレッケルズビルを描いてちょうど100年後にあたる年だった。それのみならず、ラッセンは《スプレッケルズビル》（1984年）［図4］と題した油彩画も描いている。ラッセン作品には珍しく、ドラマティックな夕焼けや朝焼けでなく、フラットな光線に照らされた昼間のビーチが落ち着いた調子で描かれた絵だ。画中に人物は描かれておらず、沖合に潮を吹くクジラが小さく描かれている。

長らくラハイナで観光客を相手にした作品を描いてきたラッセンであるが、この時期にマウイ島北岸で描かれた作品群は、少なからずラッセンの心境の変化を物語っている。マウイ島の玄関口であるカフルイ空港にもほど近いこの地域は、あまり観光客が訪れるエリアではない。そこにある自然保護区・カナハ池は、きらびやかなラハイナ周辺とは対照的に地味な湿地帯であり、地元住民が休日に訪

図1：ローレン・アダムス
《ジョーズ：ウェーブ・スタディ》(2002年)

図2：クリスチャン・ラッセン
《ブルー・ハナ・ムーン》(1987年)

図3：ジョセフ・ドワイト・ストロング
《明治拾八年に於ける布哇砂糖耕地の情景》
(1885年)

図4：クリスチャン・ラッセン
《スプレッケルズビル》(1984年)

れる憩いの場のような位置づけだ。

スプレッケルズビル時代のラッセンは、それまではあまりモチーフにすることもなかった、こうした場所も題材に描いている。《カナハ池》（1987年）［図5］は、その名の通りカナハ池を主題にした油彩画であるが、この絵をひと目見て驚いてしまうのは、印象派の画家クロード・モネの作品と見間違えるほどに、モネのタッチがそのままシミュレートされているということだ。キャプションを見なければ、この絵がラッセンのものであるとは誰も気がつかないだろう。

また、同じ時期に《インパクトⅡ》（1988年）［図6］という作品も描いている。この絵は、ホオキパ・ビーチで1988年にエリック・イーダーが撮影した写真［図7］をもとに、ウィンドサーフィンをしている自身を描いたセルフ・ポートレイトである。ラッセン本人は、この絵を「キネティック・ペインティングの中では最も成功した作品」と解説しているが、そもそも「キネティック・ペインティング」とは何なのだろうか？


まずアートにおいて「キネティック」といったとき、一般的に思い浮かべられるのは、1950年代に隆盛した「キネティック・アート」である。日本語で「動く芸術」を意味するキネティック・アートは、その多くが実際に動く作品や、動いているかのように見える作品などを指している。代表的な作家にアレクサンダー・カルダーやジャン・ティンゲリーなどがおり、その背景には、絵画や彫刻といった旧メディアに対する批判意識があった。70年代になると、キネティック・アートは環境芸術やインスタレーションと結びつきながら拡散的に発展していくが、80年代になると技術的な限界を見せ始め、世界的には過去のものになりつつあった。

そうした意味で、ラッセンが「キネティック・ペインティング」に取り組んでいた1980年代には、印象派と同じくそのスタイルはすでに「過去の意匠」となっていた。したがって、ラッセンのこれら一連の取り組みは、直接的な意味での「影響」ではなく、どちらかといえば、80年代に隆盛したシミュレーショニズムを彷彿とさせるものだ。資本主義社会で流通しているスタイルをサンプリング

図5：クリスチャン・ラッセン《カナハ池》(1987年)

図6：クリスチャン・ラッセン《インパクトII》(1988年)

図7：ホオキパ・ビーチでウィンドサーフィンをするラッセン(エリック・イーダー撮影、1988年)

し、オリジナルが帯びる権威性を批判するという意味では、ラッセンにもシミュレーショニズムに通じる問題意識を見出すことができる。

しかし、シミュレーショニズムとラッセンの異なる点としては、シミュレーショニズムのアーティストが既存のスタイルの流通網に介入し、論理的なズレを生み出すことでその力学を脱構築していたのに対して、ラッセンはどちらかといえばスタイルの流通網に入り込み、その論理を強調する仕草をとっていたということができる。この違いは、どのように捉えるべきなのだろうか？

シミュレーション

ラッセンのシミュレーショニスティックな作品は、《カナハ池》（＝印象派風）や《インパクトⅡ》（＝キネティック風）以外にも、《キュビスム風の自画像》（1986年）〔図8〕（＝キュビズム風）や《フォー・マリリンズ》（1990年）〔図9〕（＝ポップアート風）など、数多く存在している。こうした作品の背後にある思考について、ラッセンは次のように語っている。

現在、アートシーンを支配するまとまりのある流派は存在しません。『ARTnews』が発売されるたびに新しい方向性が示され、中心的な動向はなくなってしまうようになりました。もはや印象派もルネサンスも抽象表現主義も存在しません。現代は特殊な時代で、アーティストは誰でも好きなように表現できるようになりました。何の社会的障壁もなく、何でもありで、何でもアートと呼ばれる時代。しかしそれとともに業界は商業的になり、アーティストは純粋に制作することよりも金銭的な利益を求めるようになりました。[9]

この発言からは、ラッセンが「何でもあり」になったアートシーンに対する批判として、さまざまな意匠のパロディに取り組んでいた可能性を考えることができる。このコメントが収められた作品集が（シミュレーショニズムが流行していた）1990年代前半に刊行されたという事実からは、ラッセン

図8：クリスチャン・ラッセン《キュビスム風の自画像》（1986年）

図9：クリスチャン・ラッセン《フォー・マリリンズ》（1990年）

が同時代のアートに鋭敏であったことを物語っている。しかし後半の「商業化批判」については、多くの人々が違和感をもつのではないだろうか。一般的にラッセンは、経済的な成功を追い求めた商業的な作家として捉えられているからだ。

この疑問を検討するうえで参考になる作品が、その描き方においてもモチーフにおいても、アンディ・ウォーホルの直接的な「パロディ」とみなされる《フォー・マリリンズ》〔図9〕である。ポップアートの時代において、ウォーホルはトレンドマークのかつらを被り、自らが（マリリン・モンローと同じく）商業的なアイコンとなることによって、資本主義社会をメタに批判するポーズをとっていた。しかしそれに対してラッセンは、トレードマークの長髪、サーファーというキャラづけにより、それが「批判的なポーズ」であるかどうかがきわめて曖昧な次元で、ウォーホルと同じ振る舞い（＝ポップアイコン化）をしている。それが「ポーズ」であるとは誰も――おそらく本人すらも――認識できない危うさにおいて、ラッセンはウォーホル以上にクリティカルなアーティストであるといえるかもしれない。このことからは、その論理を強調するという仕草において、シミュレーショニズムとの差異を見出すことができる。そしてこの「強調」という仕草こそが、ラッセンのあらゆる作品に通じる作家性であると考えられるのだ。

ラッセンは、20代後半に2つの重要な作品を制作している。《ラハイナ沖のザトウクジラ》（198

3年）［図10］と《印象派風の自画像》（1985年）［図11］だ。前者は、ラッセンがその代名詞といえる「2つの世界」シリーズを確立した作品であり、故郷ラハイナを沖から見つめる「自画像」として描かれたメモリアルな作品である。そして後者については、母キャロルがその完成時について次のように述懐している。

図10：クリスチャン・ラッセン
《ラハイナ沖のザトウクジラ》（1983年）

図11：クリスチャン・ラッセン
《印象派風の自画像》（1985年）

彼の人生にとって、1985年に《印象派風の自画像》を描いたことが大きなターニングポイントになりました。作品が完成したとき、彼はとても落ち込んでいました。人に無闇に頼ることができないことを悟って落胆していた様子だったんです。彼が自分自身に期待するほど、他人は自分に対しては期待などしてくれないんだと。でも彼は挫けることなく「お母さん、自分の力でがんばるよ」と言いました。その出来事をきっかけに、彼は自分の人生をコントロールし始め、運命を切り拓くのは自分しかいないんだと覚悟したようでした。[10]

この覚悟のもとにラッセンが取った行動は、自身の作品を出版する会社を設立することだった。ここで思い出されるのは、ラッセンが15歳のころ、Tシャツ会社に自作を売り込んだというエピソードである。ラッセンの会社が「ギャラリー」でなく「パブリケーションズ」である理由は、作品を権威的な一点物として扱うのでなく、公（パブリック）に流通するものとして出版（パブリッシュ）することこそが、ラッセンにとって至上の喜びだったからにほかならない。それはラッセンにとって、ウォーホルを地でいくこと、すなわち資本主義時代のアートを実践することだったのではないだろうか。

このアイデアの背景には、アーティストとしてよりも先にアスリートとして商業的な成功を収めた経験が影響していた可能性がある。マスコミュニケーションによるグローバルな情報流通を経験したことは、ラハイナのギャラリーで観光客相手におこなわれるローカルな作品販売とはまるで別世界のものに映ったはずだ。グローバルな情報流通のダイナミズムを自身のアートにも取り入れてみたいとラッセンが思ったとしても、なんら不思議ではない。そんな背景のもと、1985年5月にラッセン・アート・パブリケーションズは設立された。ラッセンが29歳のときの出来事である。

起業の翌年、1986年にはビジネスパートナーとなるジョナ＝マリー・プライスとも出会っている。ユタ州パークシティの市長を務めていたジョン・プライスの娘であるジョナは、天性のビジネス・パーソンだった。象徴的なエピソードとして、ジョナは10歳のときに花屋の営業許可証を取得し、実際にビジネスを展開するために必要なプロセスを学んでいたそうだ。市長である父のもとで、子ども時代からビジネスに関心を抱いていたジョナは、ラッセンが最も求めていた人材だった。そして彼女もまた、ラッセンとの出会いについて次のように語っている。

「クリスチャンの作品を初めて見た瞬間、「この人は私たちの環境を変えることができる人だ」と確信しました」「そのころはまだ、環境保護活動が政治的に正しいということで、世間で流行するよりもずっと前のことでした[11]」。

2人の出会いにより、ラッセンのアートビジネスはまたたく間に成長し始める。1985年に作品のオリジナル・エディションを出版したばかりだったが、彼女の合流直後には第二・三弾の限定エディションも発売。作品の売上とともにその知名度は急上昇していくことになる。こうして、ラッセンはラハイナ・ローカルな活動から、グローバルに活動する準備を着々と整えていったのだった。そのころの日本はまだバブルの最中、１９８０年代が後半に差しかかろうかという時期のことである。

2　日本

絵のある生活

日本におけるラッセン受容は、平成が始まった年、１９８９年にスタートした。この年にラッセンはアールビバン株式会社と販売契約を締結したことにより、本格的な海外進出を果たすことになる。Art Vivant（アールビバン）という社名には「絵のある生活」という意味が込められている。現代美術に親しみのある人にとって、この名前は１９８０年代のセゾン・カルチャーを思い出させるかもしれない。実業家・堤清二が掲げる「時代精神の根拠地」という理念のもと、75年に池袋・西武百貨店の店内に西武美術館が開館した。国内外の前衛芸術の発信基地として人気を博したこの美術館に併設されていたのが、美術書専門書店の「アール・ヴィヴァン」だったからだ。

アール・ヴィヴァンでは、美術専門書のみならず、現代音楽のレコードなども取り扱っており、都内有数のコアなアートスポットとして知られることになる。さらに同名の機関誌『アール・ヴィヴァン』を刊行するなど、書店の枠に留まらない活動を展開することになった。惜しくも１９９５年に閉店を迎えることになるが、97年には「NADiff」と名前を変えて現在に至っている。

このように、往年の現代美術ファンにとってはセゾン・カルチャーを彷彿とさせるアールビバンであるが、１９８４年の創業当時は、セゾンの本拠地で革新的な文化の中心地であった池袋・渋谷（西東京）ではなく、伝統的な画廊文化の中心地であった銀座（東東京）の文化圏に属していたようだ。

アールビバン創業者の野澤克巳は、１９５３年に新潟で生まれて高校卒業後に上京したあと、メーカー勤務を経て書籍の営業マンとして働いていた。転機が訪れたのは、職場の先輩の誘いでとある展示会を訪れたことだった。誘ってくれた先輩への義理もあり、ジャン・カルズーの版画を購入することになった。その後、納品された版画を部屋に飾った途端、展示で見ていたときとは異なる新鮮な感動を覚えたそうだ。

それから1週間も経つと、野澤はすっかり版画のとりこになっていた。「自分のように絵画に無関心な人間がこれだけ鑑賞できるようになった。きっかけさえ与えられれば、絵画への感性が開花する人びとは多いに違いない」[12]。このような考えのもと、展示に誘ってくれた先輩とその友人を誘い、会社をおこすことになる。初めての購入体験からわずか1ヶ月後のことだった。

当初はピカソやシャガールなどの近代絵画の版画販売から始め、売上も順調だった。しかし3年目を過ぎたころから、有名画家の作品が手に入りづらくなり、在庫不足に陥ってしまう。さらに、物故作家の作品は価格が高騰しがちであり、購買層も固定している。これらの問題に直面する中で、友人たちと話し合った結果、野澤はひとりで新しい会社をおこすことを決めた。

「銀座界隈の画廊に近づきつつあったんです。店を構えて、そこで版画を販売する。これではダメだと」[13]。あくまでも自身の感動体験をビジネスモデルとして体系化したかった野澤は、業界に革新をもたらす新しいモデルをつくる必要性を感じていた。その結果、未だ評価の定まっていない作家をゼロからプロデュースすることで、販売価格を下げ、新たな購買層を開拓できるのではないかと考えた。そうすれば、自らが絵画に興味をもつようになった原体験（「絵のある生活」）を広く普及させることにも繋がるはず――こうしたアイデアのもと、野澤は自宅を担保に銀行から２０００万円を借り入れて、１９８４年にアールビバン株式会社を設立した。

同社のビジネスにおける新規性は、新人作家のプロデュースに加え、保守的だった絵画販売の世界にクレジット決算と展示会方式を取り入れたことにあった。前者はいまでこそ当たり前に聞こえるが、現金取引が主流だった当時の画廊界隈では画期的な試みだった。そして後者については、近年現代美術界に増加している「ノマドギャラリー」を先取ったものにも見える。いずれにせよ、それまでの保守的な画廊ビジネスでは考えられなかった革新的な試みである。

１９９７年のデータを見てみると、アールビバンの売上全体の90パーセントがノマド方式、つまり展示会方式で占められていた。会場としてはホテルやイベントホールなどの貸会場やショッピングモールの催事場が多く、顧客の90パーセントは20〜30代であり、一人あたりの平均販売額は50〜60万円ほどになっていた。[14]

「絵のある生活」を謳うアールビバンは、ラッセンのほかにも幅広いアーティストの作品を取り扱っている。まず、同社のアート事業は「ファインアート」と「イラストアート」に分類されており、過去取扱作家も含めると、ファインアート部門には、ラッセンのほかにシム・シメール、カーク・レイナート、トレンツ・リャド、天野喜孝、浜田泰介、孫家珮(そんかへい)などの名前が見られる。それに対してイラストアート部門には、てぃんくる、カントク、Tonyなどの名前が並んでいる。ラッセンのような作家から、日本画家、イラストレーターまでを幅広くカバーしており、この多様さは「日本のアートの生態系」を反映しているようにも見える。

アールビバンの扱う作品は、基本的に原画ではなく複製版画として販売されている。マルチプルな版画という形態は、特定少数の富裕層ではなく、不特定多数の庶民が買い支えるビジネスモデルを想定したものだろう。こうしたモデルは、美術館を頂点とする「オリジナリティ」の権威に対置されるものだ。アールビバンは、このビジネスモデルに基づいたアートを「インテリアアート」と呼んでいる。「日本のアートの生態系」を商業的に追求することが、結果的に、ミュージアムと敵対する制度批判的な思想に繋がっているという点に、アールビバンの美術史的な特徴がある。そしてこの「絵のある生活」という理念が、作品を「パブリッシュ」することにこだわっていたラッセンの理念とも重なることになるのだ。

なぜ、ラッセンが日本で局所的なブームを巻き起こしたのだろうか。いずれも後ほど詳述するが、アーティストの中ザワヒデキが「ラッセン派」を日本における「アートの代名詞」としたことも、お笑い芸人の永野がピカソやゴッホとラッセンを自虐的に並置したことも、インテリアアートが日本で最大規模の美術市場を形成したことも、ラッセンという「パブリッシュ志向」のアーティストと「絵のある生活」の普及を目指すアールビバンとの出会いによるものだった。

その背景には、明治期に「美術」という概念や制度を西欧から輸入した、日本の歴史性が見え隠れしている。日本社会で成立しうる「美術」を正面から考えれば考えるほど、お上から与えられる「美術」ではなく、大衆が下支えする「インテリアアート」こそが正しいあり方なのではないかとするアールビバンの理念は、日本「美術」の成り立ちに自覚的なものであるからだ。

インテリアアートと絵画商法

1984年に創業したアールビバンにとって、最初の売れ筋作家になったのはヒロ・ヤマガタだった。同年のロサンゼルスオリンピックで公式ポスターを担当し、人気が上昇していたヤマガタ作品を販売したところ、予想外の売上を記録することになった。この体験に自信を深めた野澤は、さらに踏み込んで無名作家をプロデュースすることを決め、海外でのリサーチを開始した。その結果、ハワイで頭角を現しつつあったラッセンを発見し、89年に販売契約を結ぶこととなる。

アールビバンが同業他社と異なっていたのは、作家を発掘するのみならず、発掘した作家と二人三脚で伴走する姿勢をとっていたことだった。日本での販売開始後、人気作家になったラッセンは、あるときエディションの摺刷数を急激に増やし始めたことがあった。1991年には、1点の版画のエディションが1000枚を超える事態となり、これに危機感を覚えた野澤は、ラッセンに対してエディションを減らすように交渉したという。しかしラッセンは首を縦に振らなかったため、話し合いの結果、95年にアールビバンはラッセン作品の仕入れをストップすることにした。これに懲りたラッセンはエディションを減らすことを了承し、翌年からアールビバンでの販売が再開されたそうだ。このように、アールビバンとラッセンはあくまでも対等なパートナーとして、ときに作家に対して苦言を呈しながらも公正なプロデュースに努めていた。

さらに、アールビバンはエディションナンバーの透明化を進めてもいる。そもそも版画や写真などには、複製点数を制限するエディションナンバーが振られることになるが、その分母がトータルの複製点数と一致しないことがある。購入者に知らされる一般的なエディションのほかに、アーティストや工房が管理する別のエディションが存在することがあり、その作品の希少性が敢えて不透明にされるという状況が存在しうるのだ。そこでアールビバンは、できる限り総摺刷枚数を把握し、販売時のプライスカードに表示するという対策をとっていた。[15]

これらの事実から見えてくるのは、アールビバンが作家と伴走しながら、その価値形成に積極的な関与をしていたということだ。１９８０年代の時点で、ラッセンは日本でほとんど無名であり、２０２３年現在でもラッセンのWikipediaは日本語版しか存在しておらず、母国のアメリカでさえその名前は十分に知れわたっているとはいえない。そんな中、日本社会でピカソやゴッホと並ぶ知名度にまでラッセンを成長させたアールビバンの功績は、強調してもし過ぎることはないだろう。[16]

しかしその反面、アールビバンが参入した版画販売の業界には負のイメージもつきまとっていた。１９９０年代ごろより、強引なセールストークで作品を買わせる「絵画商法」が社会問題化するようになったのだ。渋谷や新宿などの都市部がその主な舞台である。

１９９０年代の絵画商法に対する苦情件数を調べてみると、93年の１１９８件（39位）、96年の２６７７件（32位）、98年の３１２１件（31位）と増加の一途をたどるものの（括弧内は問い合わせ全体における順位）、苦情全体の中では、その件数は30～40位に留まっており、実際のトラブルに発展したケースは比較的多くないことがわかる。[17] ２０００年代以降にはそのトラブルも減少を始め、00年代後半には苦情件数は年間２０００件前後で落ち着くことになった。

裁判に発展した事例を調べると、アールブリアンという社名が浮かび上がってくる。一見するとアールビバンとよく似た社名であるが、実際には無関係な会社だ。２００９年にアールブリアンへの賠償命令が下された裁判記録を見てみると、その手口が以下のようにまとめられている。

原告は茨城県出身で当時25歳、大学院卒業後にソフトウェア関連会社に就職、配属されていた地元の事業所から東京の本社への長期出張となり、慣れない東京で一人暮らしを始めて程なく本件被害に遭ってしまいました。原告は気が優しく内向的で、あまり女性と接したことがなかったため、女性販売員の過度に甘えた口調や押し問答に近い強引な勧誘、あたかも原告に特別な好意を抱いているかのような態度に惑わされ、僅か3ヶ月半の間に3件もの契約を締結させられてしまい、高額なクレジットの支払いに対する過重負担と将来への不安から、精神的不安定に陥ってしまい、遂には仕事を辞めざるを得なくなるという二次被害も被らされてしまいました。[18]

一般的にイメージされる絵画商法の手口は、おおむねこのようなものだろう。アールブリアンは、渋谷、新宿、秋葉原などの路上でこうした商法を続けていたが、２０００年代には全国各地で訴訟沙汰となり、11年に東京都から行政処分を受けるに至った。さらに14年には、東京都千代田区で強引な客引きを禁止する「公共の場所における客引き行為等の防止に関する条例」が施行されている。

これらの状況に対し、アールビバンは、展示会への呼び込みはおこなっておらず、新聞チラシなど通常の広告宣伝活動に専念していたことを明言している[19]。さらに1997年時点ですでに、契約から8日以内に購入をキャンセルできる独自のクーリングオフ制度を導入しているなど、マイナスイメージがつきまとう業界のイメージを改善しようと努力していたこともわかる[20]。

しかし、結果的にはこうしたイメージが刷新されることはなかった。たとえば、2001年から05年にかけては、ラッセンの作品が架空ローンの口実にも用いられている。札幌の絵画販売業者「ブルームーンファインアート」の社員が、若い男女に「会社が画廊で絵を購入できないので名義と口座を貸してほしい。信販会社への支払いはうちでする[21]」と言い、謝礼の支払いと引き換えに50〜150万円の絵画を購入したことにする架空契約をもちかけたのだ。これにより、ブルームーンファインアートはクレジット会社から絵画販売の立替金を受け取り、これを会社の資金繰りに用いたが、06年に倒産したことにより、同社に名義を貸した若者たちに多額の請求が届くこととなった。被害者は男女約400人、被害総額は6億8000万円にものぼり、06年には大規模な捜査がおこなわれている[22]。00年代になると、ラッセンの名前はこのような「汚いカネ」の話題とともに語られることが増えていった。

このようにして、2000年代には業界全体に「汚いカネ」のイメージが蔓延するようになった。一般的な広告宣伝、独自のクーリングオフ制度、エディションの透明化などでイメージの改善に取り組んでいたアールビバンであるが、00年代に入ると、こうした悪しき業界から距離をとるように、別事業に力を入れるようになったようだ。

その兆しはすでに1988年には見られていた。この年に全国75の市町村が名乗りを上げる中、三重県の「三重サンベルトゾーン」構想が総合保養地域整備法（リゾート法）による国の承認を得たのだ。これがきっかけとなり、伊勢志摩地域の海岸線を一大海洋リゾートとして開発するプロジェクトが始動した。そして、この計画の中核に据えられていたのが「志摩芸術村」のプロジェクトである。

志摩芸術村は、国内外のアーティストが滞在するレジデンス施設、ミュージアム、工房、ホールなどから成る複合施設であり、タラソテラピーと呼ばれる海洋療法をおこなうゾーンやホテルなどが併設される総合施設だった。この開発を推し進めていたのが、セゾングループの子会社にあたる志摩東京カウンティである。セゾングループといえば、先に触れた「アール・ヴィヴァン」の運営母体だ。ちなみにこの構想と時機を同じくして、ベネッセコーポレーションが瀬戸内海で「直島文化村」のプロジェクトを始めている。ミュージアム、ホテル、キャンプ場などから成る直島文化村は、2004

年に「ベネッセアートサイト直島」と名を変え、いまでは瀬戸内国際芸術祭をはじめとするグローバルなアートの拠点へと成長することになった。志摩芸術村も、当初はこのような未来を思い描いていたかもしれない。しかしその夢は、バブルの崩壊によりあっけなく崩れ去ることになった。

バブルが崩壊したことにより、プロジェクトの大部分は中止が決定されたが、タラソテラピーゾーンの中核施設である「タラサ志摩」だけは１９９２年にオープンを迎えることができた。その背後には、セゾン・カルチャーの中心人物である堤清二がいた。堤にとって、タラサ志摩はなんとしても実現したい念願のプロジェクトだったのだ。その結果、２５０億円もの開発費が投じられてオープンしたタラサ志摩であったが、その事業はあえなく失敗に終わってしまった。90年代後半には営業不振から多額の負債を抱えることになり、２００１年に民事再生法を適用するに至っている。

このときにタラサ志摩の買収に名乗りを上げたのが、野澤率いるアールビバンだった。２００１年、アールビバンは13億６０００万円で志摩東京カウンティを買収すると、タラサ志摩スパアンドリゾートと改名し、本格的にリゾート事業に参入することになる。この会社の取締役会長に就任した野澤は、中断されていた志摩芸術村についても、かつて堤が描いた夢を引き継ぐ旨の発言をしている。「（アールビバンは）無名の画家を発掘、育てている。かつてアート村をつくる考えを抱いたこともあり、芸術村は我々のコンセプトとどんぴしゃりだ[23]」。

その背景には、当時すでに「絵画商法」のイメージがはびこっていた悪しき業界から距離をとるとともに、注目を集め始めていたアートによる地域再生事業へと参入することによって、創業当時から目指していた「アートの大衆化」を実現したいという意図があったのではないだろうか。１９９０年代の始まりとともに、ラッセンのプロモーションが開始されたことを思えば、２０００年代の始まりとともに始動したリゾート事業は、アールビバンの「次なる一手」であったことがわかる。

ちなみに、同時代の動向に目を向けてみると、２０００年に北川フラムの率いる「大地の芸術祭越後妻有アートトリエンナーレ」がスタートしたことを皮切りに、全国各地でビエンナーレやトリエンナーレが林立する「芸術祭の時代」が幕を開けていたことがわかる。この流れは「あいちトリエンナーレ２０１９」の炎上に至るまで、少なくとも約20年にわたり継続することになった。パルコや西武の躍進により、１９７０〜８０年代に都市文化の中心となったセゾン・グループが、２０００年代の始まりとともに芸術村のプロジェクトから撤退したという事実は、21世紀の始まりとともに、現代美術の「中心」が都市から地方（＝周縁）へと分散していったことをも意味する。そして、この時代に起きた交代劇に活路を見出し、その活劇に割って入ったのがアールビバンだったのだ。

タラサ志摩を買収したアールビバンは、「ミュージアムホテル」というコンセプトのもと、ホテル全体を「絵のある生活」の実験場へと塗り替えていく。館内の至るところに、草間彌生、奈良美智、村上隆、アンディ・ウォーホル、ナム・ジュン・パイクなどの作品が設置された。さらに会員限定の特別ルームとして、３０３号室はラッセンの邸宅をイメージした特別ルームに改装されている。ほかにも、ディズニーアートの作家、デビッド・ウィラードソンによる特別ルーム、萌え絵系のイラストレーターとして人気の高いてぃんくるによる特別ルーム、同じく西又葵による特別ルームなど、4室のアーティストルームが設置されることになった。

買収翌年の2002年には1000億円の営業黒字を計上するなど、アールビバンのリゾート構想は順調な滑り出しを見せた。日本初のタラソテラピー施設とアートの融合というアイデアは珍しく、開業当初は大きな話題になったのだ。しかし次第に客足が伸び悩み、18年には大江戸温泉物語グループに買収され、現在は「TAOYA志摩」として営業している。セゾンから受け継いだ芸術村の「夢」はこうしてその幕を下ろすこととなった。ちなみに、館内に飾られていたアートの行方についてTAOYA志摩に問い合わせてみたところ、ラッセン・ルームなどの特別ルームはすでに存在しないが、草間彌生のカボチャなど、一部の作品はいまもホテルの各所に残されているという。

郊外文化として

こうしてリゾート構想から撤退することとなったアールビバンであるが、この事業と並行して、日本のもうひとつの「周縁」である郊外へ進出している。その背景をおさらいすると、アールビバンは

1980年代から90年代にかけて、自社取り扱いのアートを「都市文化」として売り出そうとしていた。86年、銀座に直営ギャラリーの「ビバン・ド・パリ」をオープンすると、90年には渋谷に「ギャラリー・ミューゼ・渋谷本店」をオープンしている。しかし2007年には、すべての常設店舗の営業を終了し、各地を巡回する「ノマド方式」に完全移行したようだ。

移行の大きなきっかけになったのは、1997年1月に、島根県沖でロシア船籍のタンカー・ナホトカ号による重油流出事故が発生したことだった。「エコロジー」をテーマに環境保護活動をおこなっていたラッセンは、重油流出のニュースを知るやいなや、日本でのチャリティー企画をアールビバンに提案した。これによってスタートしたのが、全国を巡回するラッセン原画展である。

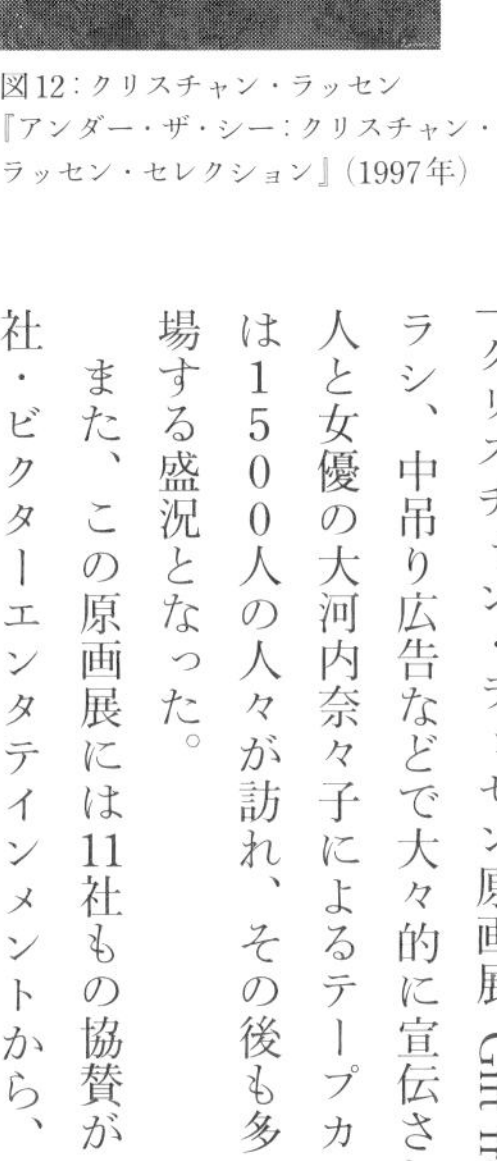

図12：クリスチャン・ラッセン『アンダー・ザ・シー：クリスチャン・ラッセン・セレクション』（1997年）

1997年3月に東京のサンケイ会館での開催が決まった日本初の「クリスチャン・ラッセン原画展 Gift from the Sea」は、テレビ、チラシ、中吊り広告などで大々的に宣伝され、開催初日にはラッセン本人と女優の大河内奈々子によるテープカットがおこなわれた。初日には1500人の人々が訪れ、その後も多い日で1日に2000人が来場する盛況となった。

また、この原画展には11社もの協賛がついているが、そのうちの1社・ビクターエンタテインメントから、原画展に合わせてCD［図12］

が発売され、[24]ラッセンは「ミュージシャン・デビュー」を果たすことになる。さらに同じく協賛企業の小学館からは画集が刊行され、CSデジタル放送「パーフェクTV」では「ラッセンアワー」という番組も放映されるなど、メディア・ミックス的な盛り上がりを見せることになった。[25]
この反響に後押しされるように、ラッセン原画展は全国150都市を巡回し、次第にその発表場所は（絵画商法に汚染された）都市から郊外へと移行していく。この変化は現在も継続しており、郊外のショッピングモールやイベントホールなどを中心に、ラッセンの作品展は全国巡回している。このように、2000年代のラッセンは「絵画商法」による汚れたカネを連想させる作家になった一方で、堤の「夢」であった芸術村構想の一翼として、さらには郊外文化の担い手として、日本社会における立ち位置を変化させていくことになった。

こうしてラッセンは、アーバン（都会的）でクールなアーティストから、サバーバン（郊外的）でキッチュなアーティストへとそのイメージを変化させていくことになる。評論家やアーティストたちが、ラッセンに対して批判を投げかけるようになるのもこの時期のことである。
写真家・編集者の都築響一は、郊外文化とラッセン作品の関わりに「見立て」の視点を導入しながら「ラッセンのイルカが飛んでいる絵が現在のペンキ絵だと思いませんか」[26]と語っている。銭湯のペンキ絵としてラッセンを捉えるという「見立て」は、デコトラの装飾や族車などの「ヤンキー文化」

とラッセンの類似にも繋がっていくものだ。実際に、このような郊外文化とラッセンを並べることで、その低俗さをあざ笑うような批評は数多く存在し、こうした「見立て」は当時の「知識人」のラッセンに対する模範的な態度になっていった。

その一方で、ラッセンの作品が1980年代的な「アーバンなセンス」として求められていたことを指摘したのは、評論家の栗原裕一郎だった。栗原は、ヒロ・ヤマガタやわたせせいぞうなどの作品の特徴を「陰影（文字どおり、初期の作品では人物に影がなかった）というか奥行きというか、そういうものをまるっきり欠い[27]」た色使いにあるとし、その延長でラッセンについて言及している。さらに、文筆家の大野左紀子は、栗原が指摘する「アーバンな」色使いの源流に、70年代末から80年代に人気を高めたデヴィッド・ホックニーからの影響があるのではないかとも論じた[28]。

都築が示した「見立て」の視点を「アーバンなセンス」に接続させてみると、ラッセン作品の代名詞ともいえる「2つの世界」シリーズは、まさにこの時代の「アーバン」なアイコンだったアクアリウムの代替であったことがわかる。

しかし先述したように、ラッセンの活動の舞台が都市から郊外へと推移していったことに伴い、2000年代以降の郊外には、ラッセン的な視覚文化が増幅していくことになった。大手カラオケチェーン「カラオケ館」の個室には、ブラックライトで浮かぶイルカの壁画［図13］が描かれ、総合ディスカウントストア「ドン・キホーテ」の店内には、インテリアとしてアクアリウムが設置されたほか、ファミリーレストランチェーン「サイゼリヤ」の内装には、西洋の名画の壁紙［図14］が大々的に展開することとなるが、そのペラッとした質感はまさに「インテリアアート」そのものだった。国道沿いには遠目にも認識できる派手な看板が設置され、夜になると、その横をデコトラ［図15］や族車［図16］が轟音を立てて通り抜ける。このように、日本の郊外には「ラッセン的なるもの」が溢れかえるようになった。

ところで、ぼくはこうした郊外文化やラッセン作品に対する批判が、自らの「恥部」を覆い隠そうとする日本の文化人の典型的な反応であるのではないかと考えている。[29] そして、この反応が最も幅を利かせていた業界が現代美術界だった。アーティストの中ザワヒデキは、2000年に「ヒロ・ヤマガタ問題」と題したテキストを発表し、ヤマガタやラッセンなどを批判する美術関係者の心情を次のように代弁している。

> 現代美術関係者以外には多少わかりにくいかもしれないが、ヒロ・ヤマガタと聞いただけで耳を覆いたくなるような不快感がこの名にはある。ラッセン、マックナイトなども同様で、視界に入っただけで眼も心も汚されたような気分になる。

だが、最も多くの人々に愛され、買われているのが彼らの作品だ。市井の人々にとっては、彼らこそアートの代名詞である。うっかりアーティストと名乗れば「なぜヒロ・ヤマガタのような絵を描かないの?」、うっかりギャラリストと名乗れば「なぜヒロ・ヤマガタを扱わないの?」。無邪気な質問に対して律儀に近代美術の講釈を始めたところで、歴史や知識に頼らざるを得ないアートの脆弱さにかえって気付かされるばかりだ。結局、うやむやにしてその場を逃げる。

〔……〕

唯一嫉妬感情のみがわれわれの不快感を説明してくれるが、だとしたら現代美術業界全体が、彼らに圧倒的敗北を喫していることになる。実際、美術館が観客動員数を気にしたり、画廊や作家が売上を気にしたりするならば、ヒロ・ヤマガタ派になればよいだけだ。理詰めで考える限り、

図13:ブラックライトで浮かび上がるカラオケ館の壁画(筆者撮影)

図14:ファミリーレストランチェーン「サイゼリヤ」の内装(筆者撮影)

図15:「常勝丸船団」(櫛野展正『アウトサイド・ジャパン 日本のアウトサイダー・アート』イーストプレス、2018年、72頁)

図16:福持英助撮影によるラッセンのイルカが描かれたバイク(『サイゾー』2012年3月号、164頁)

どうやっても軍配はヒロ・ヤマガタらに挙がる。私はこれを「ヒロ・ヤマガタ問題」と呼んで、二十世紀中に解決したいとかねがね思っていた。[30]

まず、中ザワにとっての「ヒロ・ヤマガタ問題」は「ラッセン問題」や「マックナイト問題」といい換えられるものだった。そのうえで、中ザワは現代美術関係者が「ヤマガタ派」に「圧倒的敗北」を喫していることを皮肉たっぷりに認めている。とはいえ、このテキストを引用する際には注意も必要だ。なぜなら、このテキストは表面的にはヤマガタやラッセンを題材にしたものでありながら、実質的には「対・村上隆」や「対・椹木野衣」のテキストとして書かれたものだからである。「ヒロ・ヤマガタ問題」の中には、いささか唐突に次の一節が登場している。「『日本ゼロ年』展に見られるようなポストモダニズム的言説は、イラストとの間の垣根を取り払おうとしている（にもかかわらず同展では周到にヒロ・ヤマガタ派が除外されていた）」[31]。「日本ゼロ年」展とは、美術評論家の椹木野衣が、1999年から2000年にかけて水戸芸術館で企画した展覧会だ。出品作家は、会田誠、飴屋法水、大竹伸朗、岡本太郎、小谷元彦、できやよい、東松照明、成田亨、村上隆、ヤノベケンジ、横尾忠則であり、中ザワの述べる通り、アートと「イラストとの間の垣根を取り払おうと」するものだった。そしてこの展示に参加していた村上は、「ヒロ・ヤマガタ問題」の発表直後、雑誌『STUDIO VOICE』2000年9月号で、その名も「ヒロヤマガタとは?」と題する対談を中ザワとおこなっている。[32]

その中で中ザワは「ヤマガタ個人じゃなくて、クリスチャン・ラッセン問題にしてもいい」と断ったうえで次のように発言する。「ヒロ・ヤマガタ周辺のハッピーアートのほうが確信犯的なところがあると思う。売れたもの勝ち、なおかつ、どうしたら売れるかで、最大多数の最大幸福をちゃんと計算してその通りに出してきたっていうような」「となるとさ、マーケティングはもとよりあらゆる評価軸は表現に無関係といったほうがリアリティがあるんじゃない?」「評価軸をいじくって操作していくような意味でのマーケティングは、資本主義を肯定して受け入れてる場合、どんどんやんなきゃいけないよね。その意味でいうと、村上さんの仕事は非常に重要だと思っている。ただ本当にマーケティングを基準にしちゃうとヒロ・ヤマガタ派の方が実際ずっと儲けてんじゃないの?」

それに対して村上は、「アートのマーケティングっていったって、ヒロの周辺のような浅いもんじゃなくて、人種とか歴史とか、色々からんで来るでしょう」「ヒロを使ってパラダイムシフトを仕掛けようっていう中ザワさんの手さばきには興味ある。だってヒロ・ヤマガタ〝問題〟だもんね。でも僕はやっぱ現場のダイナミズム、超伝導体の発見の時みたく、色々やってみて、偶然これか!?っていう環境作りが本懐だからさ」と応答している。

このやりとりからもわかるように、中ザワにとってのヤマガタ/ラッセンは、それを「問題」化することによって、村上/椹木に対して批判的なポジションをとることが可能になる「飛び道具」

だった——それゆえに、同じ立場に位置づけられるヤマガタ／ラッセン／マックナイトは交換可能だったのである。では、ここで批判される椹木はラッセンに対していかなる視点をもっていたのだろうか。実は、現代美術業界の中で最も早くラッセンについて評論していたのが、まさにここで批判されている椹木だった。

１９９４年に書かれた「「歴史の終焉」で地獄が楽園になり楽園が地獄になる楳図かずお的現在」と題されたテキストの中で、椹木は、アメリカ人アーティストのアレクシス・ロックマンについて言及することから議論を始めている。それによると、あるとき椹木はロックマンの作品《エボリューション》［図17］と出くわした。「湿地帯を思わせるジャングルの中には、鳥や動物、そして昆虫や節足類がごまんと棲息していて、こんなところに迷い込んでしまったら気も狂わんばかりの不気味さで見るものに迫ってくる」[33]。その作品は、まさに「地獄」という言葉で形容される風景だった。それは「あらゆる闘争と矛盾がなし崩し的に消滅させられた「歴史の終焉」」であり、そこにはもはや人間は存在していない。なぜなら、人はみな歴史をもたない「動物」になってしまったからだ。そしてこの認識に立つとき、ロックマンの絵は「見かけに反して、それを見るものに「楽園」のイメージを喚起させる」ものになるという。

そのうえで椹木は、ロックマンの「限りなく天国に近い地獄」に接近するビジョンとしてラッセンを引き合いに出す。まずラッセンの「２つの世界」シリーズ［図18］でも、ロックマンが描いた「地獄」のように「イルカをはじめとした海中の生物たちが一斉に会した」光景が展開している。しかしラッセンの場合、その光景は限りなく明るく、美しいものとして提示される。そんなラッセンの描く風景は「人間の不在を謳歌する動物たちによって占拠されており、血にまみれた歴史は消滅」した場所であるという点で、ロックマンの「地獄」に接近するビジョンである。こうした「限りなく地獄に近い天国」が「日本という「歴史の終焉」の場所でひときわ輝いてみえるのは、たいへん理解」しやすく、「歴史の産み出す矛盾や闘争から守られたこの国は、まさしくラッセンの描く世界そのものであり、そこで人は理性を喪失してやさしくかわいらしい動物に姿を変える」と述べられる。

図17：アレクシス・ロックマン《エボリューション》（1992年）

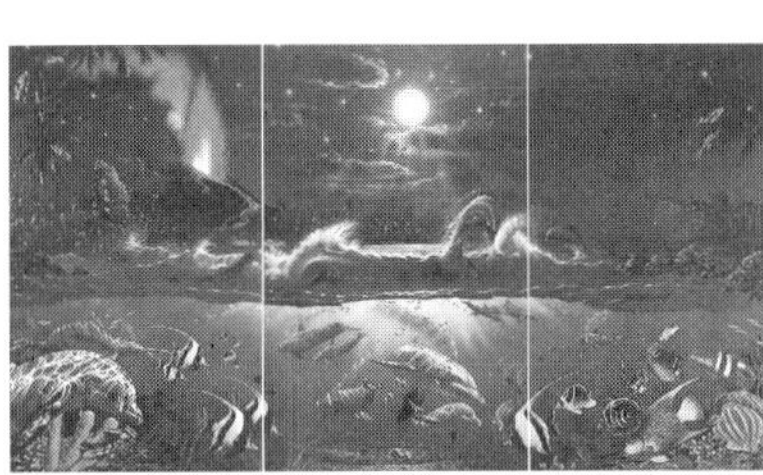

図18：クリスチャン・ラッセン《ドーン・オブ・ペレ》（1994年）

「日本という「歴史の終焉」の場所でひときわ輝いてみえる」という認識は、先述したアールビバンの「美術」観とも一致するものだ。交換可能なポジションとしてヤマガタやラッセンに言及していた中ザワに対して、より「表現」の内容に踏み込んだ内容であることもわかるだろう。そもそも「ヒロ・ヤマガタ問題」が、椹木の「日本ゼロ年」展を受けて2000年5月に書かれたのに対して、椹木のラッセン評が（まさにそのブームの最中であった）1994年に書かれたという点にも驚かされる。

しかし、椹木のラッセン評の中で最も興味深い内容は、実は先述した部分のさらにあとに登場する。そこではいささか唐突に、漫画家・楳図かずおの作品『14歳』が引き合いに出されることになる。同作には「チキンジョージ」と呼ばれるニワトリの怪物が登場するが、ノアの箱舟よろしく、チキンジョージは動物たちを宇宙船に集め、地球脱出を試みていた。「ありとあらゆる動物が集まったこの宇宙船の中に弱肉強食は存在せず、動物たちは自らが迎えることになる運命を静かに待って」いるかのようなその光景［図19］は、ロックマンとラッセンの描いた「地獄」と「天国」が共存したような世界であるというのだ。

この記述を読んだとき、思わずハッとさせられてしまった。2021年に、ぼくは《Waiting for》［第二部口絵］という、長さ33時間ものCGアニメーション作品を発表している。それは、ありとあらゆる生命が存在しない世界の「風景」を表したもので、この作品を制作するうえで参考にしたイメージソースのひとつがラッセンだったのだ。そのイメージを再現するために、CGによるビジュアライゼーションに加えて「ノアの箱舟に乗せられた全動物」の朗読をつけ足すことにした。

この作品を制作していた時点で椹木によるラッセン評は念頭になかったが、この制作を経由して椹木のテキストを再読することによって、ラッセンの「天国」的なイメージの中に、いつか訪れることになるカタストロフィ（＝大洪水）のビジョンを見ていたことが再認識させられた。

しかし、そんな楳木ですらも――少なくとも1994年の時点では――認識できなかったラッセンの「凄み」がある。それは、ラッセンが3月11日に生まれたという端的な事実だ。2011年3月11日に東日本沿岸部を襲った大津波は、まさしくラッセンの作品が予見させたような「洪水」のビジョンの具現化にほかならなかった。自身の誕生日に日本を襲った津波に衝撃を受けたラッセンは、11年4月、早くも東北の被災地を訪問している。さらに、12年11月には改めて東北を訪れる様子がNHKのドキュメンタリー番組としても放映された。そのときの映像を確認すると、かつて津波が襲った海岸を歩きながら、一瞬、呆気にとられたような表情を見せたあと、自分自身に言い聞かせるように「やっぱり海は友だちだ」と発言するラッセンの姿が映し出されている。この「やっぱり」という言葉には、ラッセンが「海」という絶対的な他

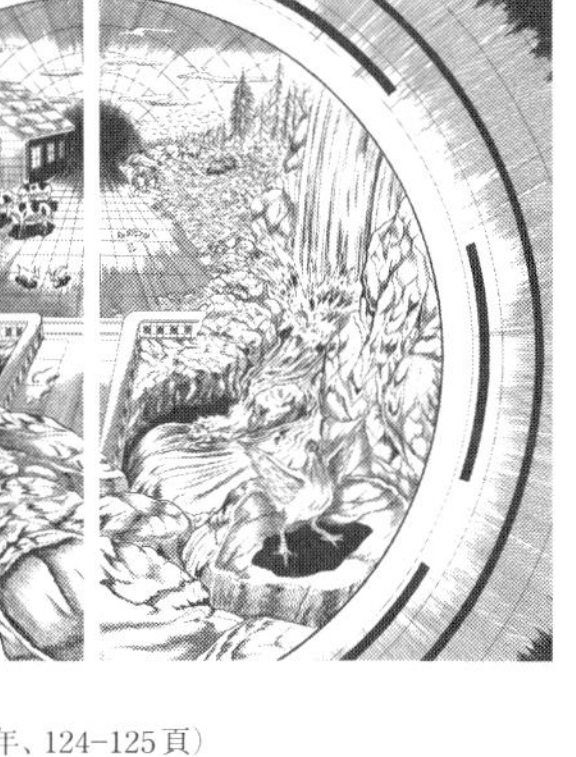

図19：楳図かずお『14歳』
（10巻、小学館文庫、2002年、124–125頁）

者に対して思いがけず覚えてしまった「畏れ」の感情が仄かに感じられる。しかしこの畏れは、11年に初めて顕現したものではない。1980年代半ばにラッセンが「2つの世界」を完成させた時点で、すでにその予感は作品の内部に組み込まれていたのだ。つまりラッセンが覚えた畏れは、目の前の海からのみならず、自身の表現の内から再発見されたものだったのである。

このように、ラッセンは平成という時代の中で日本社会と歩みをともにしてきたにもかかわらず、2000年の「ヒロ・ヤマガタ問題」以降、まともに言及される機会がほとんどなくなっていた。まるで申し合わせたかのように、10年以上も黙殺が続けられていたのだ。

そんな中、ぼくは2012年にラッセンについての言及を始めた。その理由は、当時この「黙殺」を支配していた独特の「空気」を打ち破ることなしには、日本で「美術」の活動をおこなえないと感じたからだ。そして、12年に大下裕司と「ラッセン展」を企画したことが、ぼくにとっての「ラッセン問題」の始まりになった。これによって、日本の「美術」を支配する不文律をあらわにし、自らの活動基盤をつくりたいと考えたのだ。ちなみに、この展覧会は「ラッセン展」というタイトルではあるものの、ラッセンの個展ではなかった。現代美術（悠久斎、梅沢和木、百頭たけし）、公募団体（山口俊郎、小林武雄、出相洸一、結城唯善）、インテリアアート（ラッセン）という三界に属する作家の作品を、互いに比較鑑賞できる状況をつくることによって、日本の「美術」が内包する分断を「作品」という単位で無化し、互いに黙殺し合う捻れを問題として抽出したかったのだ。

タイトルの力も相まってこの展覧会は評判となり、雑誌やウェブに複数のレビューが掲載されることになった。先述した椹木と初めて繋がりをもてたのも、この展覧会のおかげである。そして2013年には、展覧会の内容を論集に発展させた『ラッセンとは何だったのか?』（フィルムアート社）を刊行することができた。これによって、ぼくの中の「ラッセン問題」は終結したものと思われた。しかしこうした動きと並行して、ラッセンはさらなる展開を見せ始めていたのだった。

ヴェイパーウェイヴ

1990年代に都市文化として日本に進出し、2000年代に郊外文化へと移行していったラッセンは、10年代になると思わぬ方向から注目され始めていた。

ヴェイパーウェイヴと呼ばれる音楽ジャンルがある。2010年代初頭にインターネットの音楽コミュニティから生まれた動向で、その背景には、05年に登場したYouTubeをはじめ、SoundCloud、Bandcamp、Tumblr、Twitterなどの各種プラットフォームの出現と普及があった。ヴェイパーウェイヴの出現要因としては、過去のコンテンツに対して容易にアクセスできるようになったこと、それらをサンプリング／リミックスする技術が一般にも普及したこと、そして個人が制作したコンテンツを発表するプラットフォームが整備されたことなどが挙げられる。そして、先にそれは「音楽ジャンル」であると便宜的に述べたが、実態はもう少し複雑である。ヴェイパーウェイヴについて、美学研究者の銭清弘（せんきよひろ）は、その広がりを①音楽的特徴、②視覚表象、③現代思想、④インターネットミーム、⑤商業的利用に分類している。[34]

ヴェイパーウェイヴの起源は明確ではないが、２０１０年代初頭に発表された一連の楽曲とビジュアルにあったとされるのが通説だ。その中でも記念碑的な作品に挙げられるのが、１９９２年生まれのトラックメイカー、ヴェクトロイドがマッキントッシュ・プラスという名義でリリースしたアルバム『フローラルの専門店（Floral Shoppe）』［図20］である。このアルバムは、１９８０〜９０年代的なポップス、エレベーターミュージック、テレビＣＭなどをリミックスした楽曲と、ギリシャ彫像やレトロＣＧなどのヴィジュアルで構成されるものだ。それぞれの楽曲には「花の専門店」「リサフランク４２０／現代のコンピュー」「ＥＣＣＯと悪寒ダイビング」など、まるで機械翻訳したような日本語がつけられており、参照元の時代背景と相まって「バブル期の日本」がイメージソースになっていたことがわかる。過去の「異国」――それはポストバブル世代の日本人にとってもある程度共通する感覚だ――に対するノスタルジーが、ヴェイパーウェイヴの楽曲やアートワークには通底している。ヴェイパーウェイヴという言葉は、あらかじめ明確に定義されたジャンルではなく、こうした趣向をもつコンテンツにつけられるタグのようなものだった。そのためヴェイパーウェイヴを定義することは難しく、その曖昧さはいくつもの派生ジャンルへと発展していくことになった。

ヴェイパーウェイヴから生まれた代表的なサブジャンルが、フューチャーファンクとシーパンクだった。フューチャーファンクは、ヴェイパーウェイヴをよりダンサブルにした音楽ジャンルで、ファンク、ディスコ、チルウェイヴなどが混ぜ合わされたような印象を与えるものだ。さらに、楽曲とは関係のない（多くは１９８０年代から90年代ごろの）日本語音声やテレビＣＭが挿入されており、ヴェイパーウェイヴとの共通点が示されている。

それに対してシーパンクは、エレクトロニカ、チルウェイヴ、ヒップホップなどがミックスされた傾向の音楽ジャンルである。シーパンクのミュージックビデオには、ほとんどの場合レトロフューチャーな３ＤＣＧ［図21］が用いられており、「シー（Sea）」という名が示す通り、椰子の木やイルカなどのモチーフ［図22］が多用される。こうしたビジュアルセンスはミュージックビデオから発展して、２０１３年ごろにはファッションの分野にも飛び火するようになった。一時はレディ・ガガやリアーナらも取り入れたことにより、いまでこそ珍しくはなくなったが、鮮やかなエメラルドグリーンの髪、ビビッドな柄物アイテムなどを取り入れたファッションは、まさにシーパンクの世界観をファッションに移植したものである。

カンザス出身でシカゴを拠点に活動するウルトラデーモンは、シーパンクの代表的なアーティスト

図20：マッキントッシュ・プラス
『フローラルの専門店』
（2011年）

図21：ウルトラデーモン＋ Dj Kiff
「Yr So Wet 3.0」
（2012年）

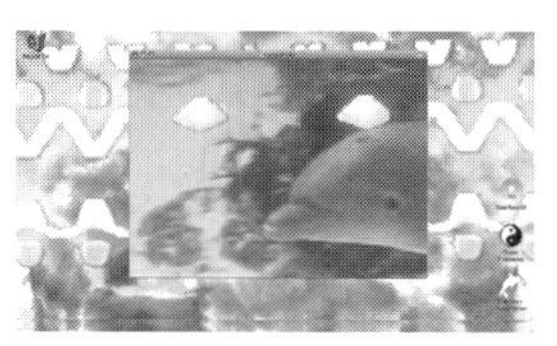

図22：ユニコーン・キッド
「ボーイズ・オブ・パラダイス」
（2011年）

だ。その名も『シーパンク』〔図23〕という名のアルバムを2013年にリリースしており、その紹介文には「ヤシの実やトロピカルなモチーフ、そこへ当時のサイバーパンクを踏襲した今ではローテクと言えるインターネット初期のイメージを用い〔……〕ポスト・インターネット世代の大きな波となったスタイル Seapunk」[35]という説明が書かれている。さらにアルバムのレビューを確認すると、「まるでクリスチャン・ラッセン的な絵画を90年代風のチープなCGで描いたようなイルカや波、椰子の木などのヴィジュアル〔……〕そんな視覚イメージは、ファッション方面でもエメラルドグリーンに染めた髪や奇天烈なマリン模様にて明快に表現されています[36]」とされるなど、やはりシーパンクからラッセンを想起する人が多いことがわかる。

それのみならず、実はヴェイパーウェイヴにかかわる当事者がラッセンに言及するケースもあった。その最たる例が、日本のインターネット・レーベル、Anansiが2010年にリリースしたアルバム『Porpoise Songs: A Tribute To Christian Riese Lassen』だ。通称「ラッセンコンピ」と呼ばれるこのアルバムのジャケットには、矢野顕子のアルバム『いろはにこんぺいとう』のジャケットでイルカを抱えた矢野の顔をラッセンに置き換えた「クソコラ」があしらわれている。収録楽曲には「ヤハウェのいるか計画」や「dolphin dance」などのタイトルが見てとれ、全体的にネタ的なムードが漂う。

図23：ウルトラデーモン『シーパンク』(2013年)

　こうしたムード自体は、ラッセンを「低俗」なものとして低く見積もる文化人の態度と大きく変わらないため、2010年時点では真新しいものではなかった。それよりも注目すべきは、明らかに「現代美術」を意識したテキストがアルバムに付されていたということだ。そのテキストを見ると、「ラッセンの描く海は、いいことずくめの海だ」という一文から始まり、次のような内容が記されている。「このいいことずくめな画面構築こそが、ラッセン絵画を特徴づけるものなのではないか」「その手つきはアプロプリエーションとも言うべき暴力性を内包しており、視覚的快楽の追求においては迷いがなく、決然とし、戦闘的」「ラッセン芸術に触れることで、くじらやいるかがいかに賢くて愛らしい人類の伴侶であり、軽はずみに殺すことの許されない生き物かということが自ずから明らかになってくるだろう」「(本稿は 椹木野衣『シミュレーショニズム』と『日本・現代・美術』の問題意識にピギーバックし、日本の行き詰まった現代ARTの次の一手を模索するものである)」[37]。

椹木の名前が出されているように、音楽アルバムであるにもかかわらず、美術批評の文脈を強く意識した内容となっている。前半の「アプロプリエーションとも言うべき暴力性を内包」という指摘は、ラッセン作品の分析としては比較的妥当であるものの、後半の「ラッセン芸術に触れることで、くじらやいるかがいかに賢くて愛らしい人類の伴侶〔……〕ということが自ずから明らかになってくるだろう」という内容は、(アルバムのジャケットを思い出せば明らかなように)美術批評の体裁を「アプロプリエート」したネタとして理解するべきである。そして最後の「本稿は〔……〕日本の行き詰まった現代ARTの次の一手を模索するものである」という文言は、「ベタ」な分析と「ネタ」な笑いが入り混じった両義的なニュアンスを帯びている。

このアルバムがリリースされた2010年9月時点では、ラッセンに対するスタンスとして、こうしたネタ的な態度が示されることが多かった。その一方で「ラッセンコンピ」のBandcampページを見ると、「#seapunk」や「#vaporwave」などのタグがつけられていることがわかる。13年にリリースされたウルトラデーモンの『シーパンク』では、「ラッセンコンピ」のようなネタ的ムードは完全に排除されているため、「ラッセンコンピ」は00年代的な「ネタ」と、10年代的な「ベタ」のはざまに位置づけられるアルバムであるといえる。

それに対して、2010年代におけるラッセンの再受容とは何だったのだろうか。音楽におけるそれがシーパンクのムーブメントだったとすると、美術におけるそれが（手前味噌となってしまうが）12年の「ラッセン展」と翌年の「ラッセン本」にまつわる一連の動きだったのではないだろうか。なぜなら、この2つの再受容には「ラッセンもちゃんと見たら意外といいのではないか？」というベタな態度が共通していたからである。この態度の持ち主が、1990年前後に生まれたポストバブル世代であったことも偶然のことではない。2010年代に入り、彼／彼女らが20代を迎えたころ、00年代＝10代までは戯れとして受容していた過去の文化に対するスタンスが一周して「ちゃんと見てみたい」という態度が立ち上がったのではないだろうか。SNSの出現に代表されるように、プラットフォーム論として語られがちな10年代の文化であるが、コンテンツの制作者サイドから見えていたのは、そのように00年代と地続きの風景だった。

「ラッセンコンピ」に見られたネタ的な振る舞いは、2010年代以降も形を変えて生き残ることになった。まず、13年6月の「ラッセン本」刊行からわずか半年後に、ガールズユニット・ももいろクローバーZ（以下、ももクロ）がラッセンとのコラボレーションを発表したのだ。

このコラボは、ももクロのシングル『泣いちゃいそう冬／鋼の意志』のジャケットアート［図24］をラッセンが担当したというものだった。さらにアルバムの表裏両面には、陰謀論としてたびたび語られるフリーメーソンの「プロビデンスの目」が配置されており、1990年代ラッセンの「アーバン」なイメージとは打って変わり、ネタ的なムードをラッセン自らが漂わせるようになっていることがわかる。

さらに、お笑い芸人の永野は、2014年末に「アメトーーク！」（テレビ朝日）の特番に出演したことをきっかけに、「ゴッホより、ピカソより、ラッセンが好き！」と絶叫するネタでブレイクしている。そして16年には、日清食品の「どん兵衛」とラッセンのコラボ企画「かき揚げを、描きあげる」［図25］が発表された。そのタイトルがすでに「ネタ」であるが、企画の内容も、ラッセンが「どん兵衛」のかき揚げを描き上げる様子を、シリアスなドキュメンタリータッチで映像化するという「ネタ」そのものの企画だった。Twitterでラッセン直筆の習字「海豚」がプレゼントされる抽選企画もおこなわれるなど、ネットは一時「祭り」の様相を呈することになった。

このような「ネタ」的な扱いを、ラッセン自身はどのように思っていたのだろうか。2013年8月26日に放送されたテレビ番組「YOUは何しに日本へ？」（テレビ東京系列）において、日本の空港でたまたま居合わせたラッセンに対し、番組スタッフがラッセンのことを知らない様子だったため、「ぼく、有名じゃないの？」と落ち込む様子が映し出されることになった。この放送は話題となり、同番組の2時間スペシャルでも再放送されたほか、当該場面のキャプチャがネットで拡散されるなど、10年代のラッセンが「ネタ」として消費される空気を助長する一因になった。

そして何より、ラッセン自身もこうした「イジり」に対してまんざらでもない様子だった。ももクロとのコラボで「プロビデンスの目」を描いたのみならず、芸人の永野とは番組で共演し、「どん兵衛」の企画では積極的に「笑われ役」に徹しているのだ。そしてこの流れを決定づけたのは、アールビバンによるプロモーションの路線変更だった。

2017年以降、アールビバンは「超ラッセン原画展」という新しいプロモーションを全国で展開し始めた。「超」という接頭辞は、ラッセンの「ネタ」的な扱いをアールビバンが自ら推し進めてい

図24：中央に「プロビデンスの目」が配された、ももいろクローバーZの『泣いちゃいそう冬／鋼の意志』（2013年）

図25：「かき揚げを、描きあげる」（日清食品、2016年）

ることを意味する。都市文化として受容され始めた１９９０年代、郊外文化に移行した２０００年代、そしてネットで「ネタ」として消費される10年代というように、ラッセンをめぐる受容はおよそ10年スパンで変化していることがわかる。

あるいは、このようにいうこともできるかもしれない。２０００年代にラッセンを嘲笑していた文化人の視点が、ラッセン本人にまで到達したのだ――と。日本進出から20年以上が経ち、すでにブームが過ぎてしまった「コンテンツ」を延命させるために、プロモーション戦略としてこうしたネタ的転回がおこなわれたことは、必然の帰結だったのかもしれない。しかし、そもそも「ネタ」としてのコンテンツの寿命は決して長くはない。芸人の永野はすでにゴールデンタイムから姿を消し、ももクロやどん兵衛の「祭り」のことなど世間は忘れ去り、ラッセン自体も時折誰かが思い出したタイミングでＳＮＳを賑わせる存在へと追いやられてしまった。ネタとして扱うことは、そのコンテンツの存在を消費してしまうことを意味するのだ。

しかし、ラッセンの本当の可能性――２０１１年に一瞬だけ出現したあの「畏れ」――は、未だに語り尽くされているとはいえない。むしろ「ネタ」の陰に隠れることで、より深い場所に隠蔽されてしまったのではないだろうか。それゆえ、ラッセンについて本当の意味で語るためには、ラッセンに対する安易な消費から距離をとり、手を替え品を替えて繰り返される戯れに終止符を打つ必要がある。ここにきて、ぼくにとっての「ラッセン問題」は、それをどう終わらせるのかという問題へと移行することになった。いつまでも続くラッセン語りに決着をつけることは、どのようにして可能になるのだろうか？

ラッセン語りの結末とは？

２０００年代以降、ラッセンは一方では黙殺され、他方では語られ過ぎてきた。12年に「ラッセン展」を企画する以前、現代美術の界隈には、公的な場でラッセンの名を口に出すこと自体が憚られるような空気があった。しかし「ネタ」として語るときだけは、例外的にそれが許されていた。飲み会の席で、アトリエで、展覧会のレセプションで、誰かが「ラッセン」の名を持ち出すや否や、その場は嘲笑的な空気に包まれ、人々が口々に「わたしのラッセン体験」を語り始める。こうした特権意識とともに、ラッセンはあまりにも安易に語られ過ぎてきた。しかし、この黙殺と饒舌の間に立つことによって、本当の意味で「ラッセンを語ること」、さらにいえば「語り終えること」が可能になるのではないだろうか？

そのヒントとなるのは、やはり東北の被災地だった。ラッセンが津波の襲った海岸でこぼした「やっぱり」という一言、それによって覆い隠そうとした「畏れ」の感情こそが、ラッセンというアーティストが日本という周縁の地で深く掘り進めることになった溝のようなものである。

ぼくが生まれたのは、ラッセンが日本でデビューした1989年だった。95年に広島の都市部に引越したとき、ラッセンの小ぶりな作品が引越し祝いとして贈られたことがあった。都会的なマンションに飾られたその作品は、機械で研磨されたように光沢を放っており、ピカピカの工業製品のように見えた。こちらを見て微笑むイルカのまなざしは、感情移入の埒外にあるものに見え、ただただ畏れの対象にしか見えなかったのである。

それから10年以上が経ち、美術の世界に慣れ親しんでいく中で、ふとあの絵のことを思い出したときがあった。あのときに感じていた畏れは何だったのだろうか。それは幼少期のトラウマのようなものであり、なお且つ、日本の「美術」が抱えるトラウマのようなもののようにも思われた。誰もがラッセンについて語ることを避けようとしていたからだ。この疑問を追究すればするほど、その謎は自分自身（や日本）という「内」に向かってエコーしていくようであった。

この疑問に答えを出すためには、誰よりも深くラッセンの海に潜ってみるほかない。その結果おこなわれたのが一連の「ラッセン語り」である。そして最後に、その核心ともいえる作品の内部に潜り込むことで、ラッセンにまつわる「語り」の結末を目指していきたい。

3　海

題材から考える

西欧社会で海が風景として愛でられるようになったのは、18世紀半ばのことだった。それまで海が身近な存在でなかったのは、海辺の気候の厳しさや、海を恐怖に満ちた場として提示する聖書のイメージが一般に広く普及していたからである。[38] そんな状況が変化したのは18世紀後半のことだった。クロード・ジョセフ・ヴェルネが描いた「フランスの港」シリーズ（1754―1765年）〔図26〕のように、それ以前の海景画では、海は交易や軍事力を誇示するものとして描かれていたのだ。

転機になったのは、イギリスの美学者ウィリアム・ギルピンが「絵画的な美（ピクチャレスク）」の美学を定式化したことである。この概念は、畏怖と崇高の念をもたらす「絵のような風景」を愛でるというものだった。それと並行して登場したのが、医学的、衛生学的な観点からの海への関心である。医学の発達により、ミネラル豊富な海水に浸かることが慢性病の治療に効果をもつと考えられたのだ。これは、アールビバンが2000年代に取り

図26：クロード・ジョセフ・ヴェルネ《マルセイユ港の入口》（1754年）

組んでいたタラソテラピーに通じる思考である。

そして1820年代以降になると、フランス・ノルマンディー北部で海辺が保養地として開発されていくことになった。都市生活者の憩いの場として、医療効果もある海岸での静養が「発見」され、これにピクチャレスクの美学が合流することによって、海が「愛でられる対象」へと変化していったのである。ジョゼフ・マロード・ウィリアム・ターナーやウジェーヌ・イザベイといった英仏の画家が海景画を盛んに描くようになったのも、こうした状況を背景にしている。

そして海への関心を決定的にしたのが、産業革命による鉄道の誕生だった。鉄道という新しい移動手段は、大都市の人々が休日に海辺へ出かけるという「レジャー」を可能にした。「ツーリスム」という言葉が一般的になっていったのも、この時期のことである。こうした「観光の民主化」の中で、鉄道会社は海辺のリゾート開発に投資をし、そこで得た利益を鉄道の発展へ充てるというサイクルが生まれたのだ。1990年代の日本で、西武鉄道を母体とするセゾングループが、タラソテラピーと芸術村を中核とするリゾート事業に力を入れていたことも、こうした歴史の延長線上にあるものだったといえる。

海が絵の主題として選ばれるようになったのは、こうした海にまつわる動きの中にある営みの一部だった。たとえば、1819年にスイスの山村で生まれたギュスターヴ・クールベは、22歳になるまで海を見たことがなかったものの、後年にはノルマンディー海岸を数多く絵に描いている。この海岸には、奇岩や巨岩が大量に転がっており、その異形の風景がクールベを惹きつける一因になったといわれる。クールベにとって、定形を外れた奇岩・巨岩に対する関心と、定まった形をもたない海に対する関心は同根のものだったようだ。

ちなみにこのころ、フランスで海の風景画は「海景画（marine）」と呼ばれていた。しかしクールベはこの言葉を用いず、わざわざ「海の風景画（paysage de mer）」という言葉を用いている。一方でラッセンは、自らの作品を「マリンアート（marine art）」と呼んでいた。マリンアートというカテゴリーのもつ意味については、後ほど詳しく考察してみることにしよう。

クールベの描く海は、とりわけその波の描き方に特徴があった。１８６７年の個展には、23点の「海の風景画」が展示されている。その際に書かれたレビューを読むと、クールベの制作プロセスが「天地創造」になぞらえて説明されていることがわかる。神が無から天地を創造したように、クールベは刷毛をわずか３回動かすだけで、たやすく海を創造してしまうとのことだ[39]［図27］。たしかにクールベの描く波［図28］を見てみると、絵の具の痕跡が大胆に残され、部分的にはまるで抽象画のようにも見えることがわかる［図29］。しかし、抽象的な絵の具の塊が突如として生々しい波に見える瞬間もあり、クールベが「そのものらしさ」を的確に抽出する技術をもっていたことも確かだ。

クールベは、ロマン主義に対峙する写実主義の画家に位置づけられている。そして彼と同じ時代、19世紀のアメリカにおいて、ロマン主義から影響を受けた「ハドソン・リバー派」と呼ばれる画家たちがいた。アメリカの雄大な自然をモチーフにしていたハドソン・リバー派の絵を見ると、西欧人によるアメリカの「発見」という主題をはっきりと見てとることができる。代表的な画家のひとり、アルバート・ビアスタットによる《カリフォルニアのシエラネバダ山脈にて》(1868年)〔図30〕という作品がある。数千メートルはあろうかという巨大な山々に怪物のような雲が覆い被さり、雲間からはスポットライトのように光が垂直に降り、さりげなく描かれた滝と湖面を照らしている。湖岸にはシカの群れが佇んでおり、雄大なスケール感と生態系の豊かさが連想される。現代人の目からはほとんどCGに見えるほどピクチャレスクな画面である。

さらにこの作品が興味深いのは、「シエラ」という土地が題材になっていることだ。シエラという地名は、2016年にアップル社のmacOS Sierraがリリースされたことで世界的にその名が知られることになった。macOS Sierraのデスクトップには、シエラの雄大な山々の写真が使用されており、ビアスタットが描いた山々の絵がCGのように「できすぎたもの」であったことを証明しているかのようである。

メンドシーノで幼少期を過ごしたラッセンが、アメリカの雄大な自然を原風景としていたことを思い出してほしい。ハドソン・リバー派による「理想化されたアメリカ」は、ラッセンにとっては「幸福な幼少時代」に重なって見えたのではないだろうか。ハドソン・リバー派の画家たちが、アメリカの大自然を――実際にはそこには古くから人々が暮らしていたにもかかわらず――「発見」される対象として描いたことは、メンドシーノという「先住民から奪った土地」で生まれたラッセンにはどのように映っていたのだろうか。

興味深いことに、ラッセンがこうした「発見」される自然観をハワイの風景に当てはめていた可能性を指摘することができる。あるとき、ラッセンが作品の題材にしたハワイのビーチをリサーチのために訪れたとき、奇妙に感じたことがあった。ラッセンの絵は、ビアスタットが描いたように「できすぎた」ところにその特徴がある。たとえば、激しいしぶきを上げる波の向こうに雄大な山々がそびえ、山間に劇的な太陽が沈みかけるような光景は、ラッセン作品の「テンプレート」のひとつである。

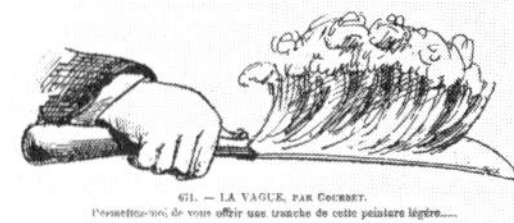

図27：ストック「クールベの《波》」（1870年、『クールベと海』2020年、22頁）

図28：ギュスターヴ・クールベ《波》（1870年頃）

図29：ギュスターヴ・クールベ《波》の部分（1870年頃）

図30：アルバート・ビアスタット《カリフォルニアのシエラネバダ山脈にて》（1868年）

しかし現実のハワイのビーチには、ラッセンが描いたような劇的な風景はほとんど見当たらなかったのだ。

そもそもビーチの向こうに山々を収めるためには、そのビーチが湾状にカーブしている必要がある。さらに、海岸線のすぐ近くに険しい山がそびえるためには、その地形が激しく隆起していなければならない。しかし現実のハワイには、そのように激しくカーブした湾を擁するビーチはほとんどなく、海辺に迫る隆起した山々もない。したがってラッセンの絵では、現実の空間が大きく捻じ曲げられて表現されていることになるのだ。もちろん、これは「画づくり」のために必要な構成なのであろうが、このデフォルメの結果行き着いたビジョンが、ビアスタットの描いた「理想化されたアメリカ」に近いのである。さらにいえば《イン・アナザー・ワールド》（1992年）〔図31〕のように、直接的に北米大陸（と思われる壮大な山々と針葉樹林）が描かれた作品も存在している。

このような「理想化」は、ラッセン本人にとっては、幼少期の原風景と現実の風景を結びつける作業であり、それと同時に「アメリカ人」というフレームで見た場合、もともとは独立国だったハワイを西欧人が「発見」した視点に重なる営みだったのではないだろうか。

この「ハワイ観」は、同じくハワイの風景を描いていたほかのアメリカ人アーティストの作品と見比べることによってより鮮明になる。19世紀から20世紀のハワイを描いた代表的な画家として、1861年にコネチカットで生まれたライオネル・ウォルデン、同年にハワイ島のヒロで生まれたハワード・ヒッチコック、そして1887年にウィスコンシンで生まれたジョージア・オキーフなどがいる。この時代の画家たちは、その多くがハワイの火山や渓谷などを題材にしていた。そんな中でウォルデンは、ハワイの海や波を題材にした作品を多く残しているという意味で、特筆すべき存在である。ウォルデンによる《トーチライト・フィッシャーマン、ワイキキ》（1920年頃）〔図32〕を見ると、現在では高層ホテルが立ち並んでいるワイキキビーチで、たいまつを持って漁をする漁民の姿が描かれている。星明かりに照らされた穏やかな夜の海と、緩やかにカーブする海岸線は、ラッセンの描くハワイとはまるで異なる印象のものだ。このようなハワイ観は、ウォルデンだけでなく、ヒッチコックの《プナルウ》（1913年）〔図33〕や、オキーフの《ウォーターフォール No.1 マウイ島・イアオ

図31：クリスチャン・ラッセン《イン・アナザー・ワールド》（1992年）

図32：ライオネル・ウォルデン《トーチライト・フィッシャーマン、ワイキキ》（1920年頃）

図33：ハワード・ヒッチコック《プナルウ》（1913年）

図34：アルバート・ビアスタット《エメラルド・シー》（1878年）

渓谷》（1939年）など、数限りなく例示することができる。

それでは、ラッセンの描く「ハワイ観」はどこに由来するものなのだろうか。やはりその由来のひとつは、先述したビアスタットが代表するハドソン・リバー派であると考えられる。ビアスタットがアメリカ西海岸を描いた《クリフハウスとサンフランシスコ湾》（制作年不詳）や《エメラルド・シー》（1878年）［図34］などを見ると、そこには激しくうねる波、劇的な太陽、そして湾の向こうに見える山々など、ラッセン作品がもつ基本構成との共通点をいくつも見出すことができる。またその劇的な効果は、比較的近い時代で活躍していたウォルデンやオキーフたちの表現とは一線を画するものでもあるのだ。

技法から考える

続いて、ラッセンの作品に対して技法面からもアプローチしてみたい。1983年から94年にかけて、アメリカでテレビ番組「ボブの絵画教室」［図35］が放送された。アフロヘアーがトレードマークの画家ボブ・ロスが、独特の口調で油彩技法を説明しながら、26分の放送時間内に1枚の風景画を描き上げるという番組だ。その地味な内容とは裏腹に、アメリカでは記録的な長寿番組となり、日本をはじめ複数の国でも放映されている。さらに近年では、２０１５年に配信プラットフォームのTwitch にて９日連続で番組が放映されると、YouTube で公式チャンネルの開設、Amazon Prime Video での配信、Netflix オリジナルドキュメンタリー『ボブ・ロス：楽しいアクシデント、裏切りと欲』（２０２１年）の配信など、インターネット上の人気は近年ますます高まっている。

この番組の売りは、なんといっても26分間で「魔法のように」絵が出来上がっていく制作過程にあった――それは先述したクールベの「天地創造」を想起させるものだ。乾燥する前に絵の具を重ね塗りする描法はウェット・オン・ウェットという古典技法で、イタリア語ではアラ・プリマとも呼ばれる。多くの油彩技法が、描いては乾燥させることを繰り返すことで絵の具のレイヤーを形成するものであったのに対して、ウェット・オン・ウェットでは、乾燥していない塗膜を混ぜ合わせるようにぼかすことで、単層的且つ短時間で油彩画を完成させることが可能になった。

図35：ボブ・ロス
「ボブの絵画教室」（1983–1994年）

ロスがこの技法に出会ったのは、ドイツ人画家のビル・アレクサンダーが担当するテレビ番組「油絵の魔法」においてだった。「油絵の魔法」は、１９７４年から82年まで、アメリカのＰＢＣが放送していたテレビ番組で、「ボブの絵画教室」と同じく26分の放送中に油彩画のテクニックを教えながら、リアルタイムで風景画を完成させるというものだった。ロスが絵画技術を向上させた直接のきっかけになったのみならず、「油絵の魔法」終了の翌年には、同じＰＢＣで「ボブの絵画教室」が始まっていることからも、ロスがアレクサンダーの後任者であったことがわかる。したがってアメリカでは、74年からの20年間、絵画技術を教育するテレビ番組が放映され続けていたことになり、さらにこの期間は、ラッセンが絵画を「独学」で学んでいた時期と重なっている。

ラッセンがこれらの人気長寿番組を知らなかったと考えることは難しく、何よりもこの期間中に描かれた作品を見てみると、１９８４年作の《スプレッケルズビル》［図４］の椰子の木や、87年作の《ブルー・ハナ・ムーン》［図２］の波など、ウェット・オン・ウェットに近い手法で描かれた作品が数多く見られる。美術館や大型書店の存在しないマウイ島で、これらのテレビ番組がラッセンにとって貴重な「絵画技法」の情報源になっていた可能性は捨てきれない。直接的にアレクサンダーと接触のなかったロスがテレビを介して「教育」されたことから後継番組を担うまでになったように、この時代のアメリカでは、テレビを介した絵画技術の伝達が実際に起きており、それはほとんど地理的には予測がつかない誤配に満ちたものだった。

またウェット・オン・ウェットは、セザンヌやモネといった印象派の画家たちが好んで使用する技法でもあった。１９８０年代にラッセンが突如として「印象派風」の作品を描き始めた背景には、この時期にラッセンがウェット・オン・ウェットを習得していたという技術的な事情があったのではないだろうか。

ちなみにロスは、近年アーティストとしての再評価も進められている。スミソニアン博物館がロスの作品と小道具を収集し、美術館で展示したい旨を権利者に申し出ている[40]ほか、2019年にはバージニア州のフランクリン・パーク・アーツセンターで回顧展も開催されているのだ。19年の展覧会タイトルになった「ハッピー・アクシデント」は、ロスの有名なキャッチフレーズ「失敗はない。あるのは幸せなアクシデントだけ」から引用されたものだった。

ロスの再評価はまだ途上であるものの、彼が番組のために描いた作品は1000点以上にものぼり、その市場価値も急速に高まりつつある。またロスは、一度の放映のたびに同じ絵を3枚描いていたそうだ。1枚目は参考資料として、2枚目は収録用として、3枚目はシーズンごとに出版されていた教本に掲載する用途としてであり、同じ絵が3枚横に並んだ光景は、テレビの電波に乗って絵画制作がN次創作されていくプロセスを体現しているかのようでもある。

図像から考える

絵画制作のN次創作——この考えは、ラッセンの作品にも適用することができる。ラッセンの描く海では、何をするでもなく、イルカやクジラたちが楽しそうに遊泳している。この海は、作品間／作家間を超えて、どこまでもフラットに連なる空間である。前述のようにクールベの時代、海の風景画が「海景画（marine）」と呼ばれていたのに対して、クールベは自らの作品を「海の風景画（paysage de mer）」と呼んでいた。それと同様に、ラッセンは自らの作品を「マリンアート（marine art）」と呼ぶことでほかの試みと区別している。あまり一般的ではないこのカテゴリーの存在は、実際にハワイを訪れ、ラハイナにあるギャラリーを巡ることによってその実在を確認することができた。

ラハイナには、数え切れないほどのギャラリーがひしめき合っており、そこではラッセンにそっくりなアーティストを嫌というほど見ることができたのだ。具体的な名前を挙げていけば、アンソニー・キャセイ［図36］、ウィリアム・デシャゾー［図37］、クリス・ドブロウォルスキー［図38］、ダニエル・ベルグレン［図39］、チャールズ・リン・ブラッグ［図40］、ロバート・ワイランド［図41］などがそうで、その作品は一見するとラッセンと酷似している。

中でもひときわ重要な作家は、ラッセンの1歳年長の画家、ロバート・リン・ネルソンだ。ラッセンと同じくアメリカ西海岸で生まれて、18歳のときにハワイに移り住んだネルソンは、その名も《2つの世界》［図42］という作品を1979年に完成させている。水中と水上を同時に描くアクアリウム的な構図は、早くは1870年刊行の『海底二万里』に収められたエドゥアール・リウーの挿絵［図43］に認めることができる。しかし、このアクアリウム的構図を「2つの世界」と名づけて大々的にプロモーションしたのは、おそらくネルソンが初めてだった。

図39：ダニエル・ベルグレン
《エンチャンテッド・シー》（制作年不詳）

図40：チャールズ・リン・ブラッグ
《ウォーターズ・エッジ》（1980年代）

図41：ロバート・ワイランド
《ドルフィン・ムーン》（1992年）

図36：アンソニー・キャセイ
《オールド・ハワイ》（制作年不詳）

図37：ウィリアム・デシャゾー
《ネイチャーズ・マジェスティ》
（制作年不詳）

図38：クリス・ドブロウォルスキー
《ドルフィン・アバブ・アンド・ビロウ・ウォーター》（制作不詳）

ネルソンが「2つの世界」に着手したきっかけには、ラハイナ沖でサーフィンをしていた際、クジラの群れに遭遇した経験があったという。ちなみにリウーの挿絵も、巨大なクジラが海中に潜ろうとする様子を描いたものだ。ラハイナでのクジラ体験に触発されたネルソンは、2頭のクジラが水中に潜る《2つの世界》を完成させたことで、「マリンアート」の第一人者として高い評価を得たとされている。[41] つまり「マリンアート」というジャンルは、ラッセンと共通する画題・構図・スタイルで絵を描く作家の作品群を束ねるものなのだ。

またそれのみならず、ネルソンはキュビズム、印象派、抽象画など、さまざまなスタイルの作品を手がけながら、環境保護活動にも積極的に取り組んでいる。その活動スタイルにおいても、ラッセンはネルソンを参考にしていた可能性がある（あるいは、彼らは相互に影響を与え合っていたのかもしれない）。その知名度にかんしていえば、日本語の Wikipedia しかないラッセンに対して、英語とアラビア語の Wikipedia があるネルソンは、ワシントン・タイムズで「2つの世界」を代表する画家として紹介されているように、アメリカ国内ではラッセンよりもよく知られているようだ。[42]

そんなネルソンと同じ「マリンアート」の作家を自認するラッセンは、ネルソンが《2つの世界》を描いた4年後の1983年に、「2つの世界」シリーズ処女作となる《ラハイナ沖のザトウクジラ》［図10］を完成させている。ネルソンとラッセンの両作品は、ひと目見ただけではどちらがどちらの作品かもわからないほどに、その構図やモチーフが類似している。しかし、それがパクリであるかどうかが問題であるのではない。そうではなく、このあからさまな類似が、ラッセンの表現を紐解くうえで重要な指針になると考えられるのだ（そもそもこの参照は、「パクリ」というにはあまりにも明示的におこなわれている）。

まず、ネルソンの作品に由来する《ラハイナ沖のザトウクジラ》［図10］に描かれた2頭のクジラは、1987年のラッセン作品《マウイ・ホエール・シンフォニー》［図44］にも登場している。さらに同作の右下に描かれた小型のクジラは、89年の《レベレーションズ》［図45］や90年の《ミスティック・プレイス》［図46］でも繰り返し描かれている。一方で《マウイ・ホエール・シンフォニー》［図44］の中央に描かれた大型のクジラは、90年の《アイランド・トレジャー》［図47］や92年の《ホエール・ソング》［図48］にも登場する。

ここで注目したいのは、これらのクジラが描かれるたびに、描写の迫真性が増しているという端的な事実だ。このことは、もとになったネルソンのクジラ［図42］とラッセンの《ホエール・ソング》［図48］のクジラを比較すれば一目瞭然である。このように、ラッセンの制作はたび重なるモチーフの反復によって、その描写の完成度を高めているのだ。同様の事例はさらに指摘することができる。

たとえば《インフィニット・ウェイ》（1991年）［図49］の中央やや下に描かれたイルカに注目してほしい。これと同じ図像が、1992年の《ファミリー》［図50］と同年の《カハナ・フォールズ》

図42：ロバート・リン・ネルソン
《2つの世界》（1979年）

図43：エドゥアール・リウーによる挿絵
（ジュール・ヴェルヌ『海底二万里』
〔1870年〕所収）

図44：クリスチャン・ラッセン
《マウイ・ホエール・シンフォニー》
（1987年）

図45：クリスチャン・ラッセン
《レベレーションズ》（1989年）

図46：クリスチャン・ラッセン《ミスティック・プレイス》(1990年)

図49：クリスチャン・ラッセン
《インフィニット・ウェイ》(1991年)

図47：クリスチャン・ラッセン
《アイランド・トレジャー》
(1990年)

図50：クリスチャン・ラッセン
《ファミリー》(1992年)

図48：クリスチャン・ラッセン
《ホエール・ソング》(1992年)

［図51］にも反復している。89年の《マザーズ・ミラクル》［図52］に描かれたイルカは、92年の《エンシェント・リズム》［図53］や同年の《コロヘ》［図54］にも引き継がれている。89年の《レベレーションズ》［図45］でラッセン作品に宇宙のモチーフが登場することとなるが、ここに描かれた網状星雲は、90年の《ダウン・オブ・ザ・ドルフィン》［図55］と同年の《ラハイナ・ドリームス》［図56］にも登場している。また90年の《ミスティック・プレイス》［図46］に描かれた土星の図像は、91年の《エタニティー》［図57］でも繰り返されている。

これらの反復を経ながら完成度を増していく描写が最も高い密度で集結しているのが、ラッセンの代表作《サンクチュアリー》（1992年）［図58］である。1992年に国連記念切手に採用された同作は、環境保護活動家としてのキャリアにおいても、絵画的な達成においても、ラッセンの代表作というべき作品である。《サンクチュアリー》のクジラの図像は、《マウイ・ホエール・シンフォニー》［図44］から《ミスティック・プレイス》［図46］の流れに、イルカの図像は《インフィニット・ウェイ》［図49］から《カハナ・フォールズ》［図51］の流れに、土星の図像は《ミスティック・プレイス》［図46］から《エタニティー》［図57］の流れにそれぞれが由来している。[43]

このように、ラッセンの作品は、来歴情報が詳らかにされた書物のように構成されており、あらゆる図像には参照元が存在している。たとえば、ラッセンがウィンドサーフィンをする自身を描いた《インパクトII》［図6］は、先述したように写真家のエリック・イーダーが撮影した写真［図7］をも

図54：クリスチャン・ラッセン
《コロヘ》(1992年)

図55：クリスチャン・ラッセン
《ダウン・オブ・ザ・ドルフィン》
(1990年)

図51：クリスチャン・ラッセン
《カハナ・フォールズ》(1992年)

図52：クリスチャン・ラッセン
《マザーズ・ミラクル》(1989年)

図53：クリスチャン・ラッセン
《エンシェント・リズム》(1992年)
の一部

とに描かれたものだった。また、ラッセンが2003年に描いた《ヴァルア・モアナ》［図59］ときわめて類似したジェニファー・ベローテによる《スプラッシング・アラウンド》［図60］という作品が存在する。その題材や構図において酷似した2作品であるが、そもそもラッセンの《ヴァルア・モアナ》が写真を描き写した「フォト・ペインティング」の作品であることから、ラッセンとベローテが類似した資料を参照していた可能性も指摘できる。この推論を裏づけるように、2頭のイルカが水面から顔を出した様子は、インターネットの写真素材サイトで大量に見つけることができる[44]［図61］。

　そもそもマリンアーティストは、実際のイルカやクジラを前にして描くことができないため、制作過程で写真の使用を欠かすことができない。そして、イルカやクジラの写真は、ある程度「最適」な画角が決まっているため、画題や構図を共有するマリンアーティスト同士で、作品が類似することは自然な成り行きであるのだろう。さらにいえば、彼／彼女たちの発表場所であるラハイナが人口1万人程度の小さな町であったことも重要だ。物理的に高密度で人と作品が触れ合うラハイナにおいては、仲間意識の強いアートのコミュニティが形成され、ひとつのまとまったリーグのようなものを形成していたのではないだろうか。

　このリーグの中でマリンアーティストたちは、共有物である画題や資料に根ざしながら、それぞれの腕を競い合うアスリートのように切磋琢磨していた――実際にマリンアーティストの多くは、サーフィンなどのマリンスポーツを嗜んでいる。こうした結果、西欧近代的な「オリジナリティ」と距離

図56：クリスチャン・ラッセン
《ラハイナ・ドリームス》（1990年）

図57：クリスチャン・ラッセン
《エタニティー》（1991年）

図58：クリスチャン・ラッセン
《サンクチュアリー》（1992年）

図59：クリスチャン・ラッセン
《ヴァルア・モアナ》
（2003年）

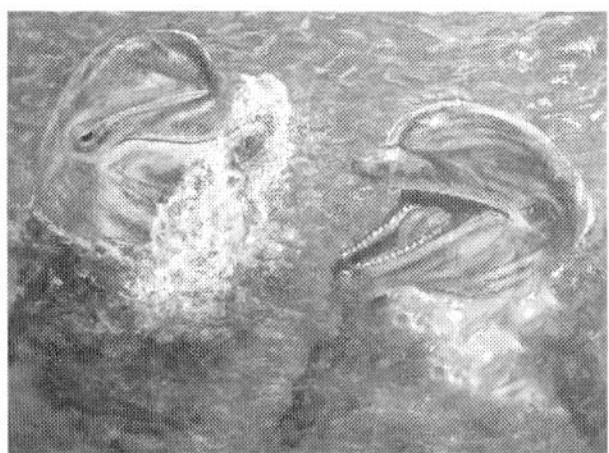

図60：ジェニファー・ベローテ
《スプラッシング・アラウンド》
（制作年不詳）

図61：「Two Dolphins」の検索結果
（「アマナイメージ」より）

をとることになったマリンアートの文脈に位置づけられるラッセンに対して、それでもなお、特有の「オリジナリティ」を見出すことは可能だろうか？

ラッセンがまだ10代だったとき、マドリッド出身の画家、アンソニー・キャセイ〔図62〕からの影響を思わせる作品を数多く描いていた。そのひとつである《ポリネシア》（1975年）〔図63〕は、一見して海への強い関心を感じさせる素朴な作風の作品だ。この時代から、2000年代以降に制作が開始されたフォトリアリスティックな作品に至るまで、ラッセンの作品では偏執的な水の描写が一貫した関心として見出されるようになる。

先にも触れた代表作の《サンクチュアリー》〔図58〕を見てみても、画面中央で跳ねるクジラの背後に逆巻きに渦巻く波が描かれている。この波の表現は、1985年に描かれた《クリムゾン・グロウ》〔図64〕の波や、同年の《エンチャンテッド・イブ》〔図65〕の波を反転したうえで、その描写の密度を上げたものだ。この波は、93年になると《マウイ・ムーンⅡ》〔図66〕で再び逆向きになり、さらに同年の《ナイト・ダンサー》〔図67〕では波自体が絵の主題に格上げされ、大胆にうねった形態として描かれている。まるで生命をもっているかのような波のうねりは、マラ・ワーフ時代に影響を受けた画家、ローレン・アダムスからの影響を思わせるものでもある。そしてこの大波の描写は、98年の《インディゴ・ナイト》〔図68〕や2000年の《ダウン・オブ・ライト》〔図69〕にも引き継がれ、

図62：アンソニー・キャセイ
《カリフォルニア・コーストライン》
（1970年）

図63：クリスチャン・ラッセン
《ポリネシア》
（1975年）

図64：クリスチャン・ラッセン
《クリムゾン・グロウ》
（1985年）

図65：クリスチャン・ラッセン
《エンチャンテッド・イブ》
（1985年）

図66：クリスチャン・ラッセン
《マウイ・ムーンII》
（1993年）

ラッセン作品におけるシリーズを形成していくのだ。

アイコニックなイルカのイメージが強いラッセンであるが、このように海洋生物が登場しない作品も数多く描いている。しかし、ほとんどすべての作品に波は登場しており、サーファーでもあるラッセンにとって、形態を自由に操作できて生命体のように力をもった波が、最大の関心対象であることがわかる。そして、時代を経る中で少しずつうねりを強めていく異形の波が、やがては２０１１年に日本を襲った大津波のイメージに繋がり、現実の世界へと戻っていったのだ。ラッセンの絵が含む「畏れ」は、第一にはオリジナリティと対極にあるN次創作の反復の中に、第二にはその異形の波の中に見出されるものなのである。

図67：クリスチャン・ラッセン《ナイト・ダンサー》(1993年)

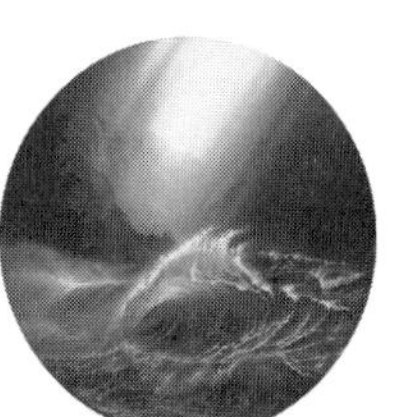

図68：クリスチャン・ラッセン《インディゴ・ナイト》(1998年)

図69：クリスチャン・ラッセン《ダウン・オブ・ライト》(2000年)

ここで再び戦争画の話に戻りたい。菊畑茂久馬は、戦争画を下支えした戦前・戦中のナショナリズムに対して、戦後におこった戦争画批判の基礎にも別の「ナショナリズム」が存在していたことを指摘している。

日中戦争あたりからは日本の庶民はおおむね軍部権力を支持していたということ。それが昭和二十年太平洋戦争集結まで一直線に続いていたという明白な事実。そして敗戦を境として急転直下同胞の殺戮者の膝もとで、きのうまでの自分達の英雄・指導者たちを苦もなく抹殺してしまったしぶといナショナリズムの出現において戦争画は批判されている〔……〕。そのナショナリズムの質は庶民の生活思想そのものでもあるが、日本の美術史を考える場合、美術が生活思想の激動の嵐をこのようにまともにかぶったことは太平洋戦争画をおいてないのではないか。
新生日本に浮き足立った戦後美術は、この極端に表情を異にするナショナリズムの深い襞に落ちこんで、それを絵画の問題として追求するところの堅牢な表現論の展開に当初から難渋をきわめた。[45]

このように、菊畑にとっての戦争画は、「美術が生活思想の激動の嵐をまともにかぶった」稀有な事例として見出されるものだった。そして、これとある程度同じことがラッセンにも当てはまると考えられる。バブルという経済戦争とインテリアアートが手をとり合ったことで、ラッセンは経済大国日本の「生活思想」をまともにかぶった作家になったといえるからだ。思えば大半の日本人にとって、ラッセンの作品はピカピカ・キラキラの舶来品のようなものだった。専門知識のない大衆にも鑑賞の門戸が開かれているという意味では、印象派やフェルメールなどの受容にも近い。ことさらに舶来品を有り難がる大衆的なマインドは、もとをたどれば明治日本が西欧列強に追いつき追い越せと奮闘する中で浸透していったものだろう。

以上のように「ナショナリズム」の残り香が漂うラッセンの「ピカピカ・キラキラ性」は、ほかのマリンアーティストの作品と比べても、群を抜いて強く煌めいていた。一時は郊外文化との接続から「悪趣味」の汚名を被せられかけたものの、ヴェイパーなセンスが浸透したことで、2020年代前半の日本では、偏光カラーで煌めくファッションアイテムを持ち歩く人もすっかり街の風景に溶け込むようになった。

ラッセン自身が「最も成功した俯瞰的場面のひとつ」[46]と語る《コスモス》(1991年)［図70］という作品がある。水平線に太陽が沈む一方で、頭上では巨大な土星や木星が煌めき、水中には鮮やかなグラデーションが落ちている。画面中央の水中は唐突に発光し、その輝きを取り囲むように、クジラ、

図70：クリスチャン・ラッセン
《コスモス》(1991年)

イルカ、アザラシ、ウミガメたちが舞い踊る。深く窪んだ湾の斜面には、美しい珊瑚礁が宝物のようにひしめき合う。1997年に出版されたラッセン初の絵本のタイトルが『海の宝もの』（小学館）だったことを思い返せば、こうした絵を「宝もの」とみなす視点は、あながち間違いではないだろう。しかしこの「宝もの」は、ネオンのもとで海洋生物が狂喜乱舞すればするほど、その怪しさを増すものでもある。バブルが終わり、紙切れ同然になった株券が帯びるペラペラの悲壮感が、海獣たちの狂ったダンスにも漂っているのだ。

先述したように、ラッセンは一方であまりにも黙殺され、他方であまりにも安易に語られてきた。この二極化は、菊畑が批判した「ナショナリズム」の虚しさの両極を想起させる。ラッセンをめぐる黙殺と饒舌に対しては、その振り子のつけ根にまでさかのぼり、基点となる「絵画」を正視しないことには何も始まらないだろう[47]。

その結果、起きることは何だろうか。それは「美術」の変形である。そもそもぼくにとってのラッセン問題は「美術とは何か？」という問いから生まれたものだった――2000年代半ばに美術に興味をもち始めたとき、ほかの誰よりも黙殺されていたアーティストがほかならぬラッセンだった。菊畑にとっての戦争画が、表現をめぐる問いの洪水からすくわれた「一発の不発弾のようなもの」[48]だったように、ぼくにとってのラッセンもまた、まず手始めに解消しなければならない不良債権のようなものだったのだ。

画家の香月泰男による「シベリア・シリーズ」という「戦争画」の作品群がある。敗戦直後の抑留体験を描いた57点の油彩画で、その「結末」に位置づけられるのが《〈私の〉地球》（1968年）［図71］という作品だ。その絵の外周には、ホロンバイル、シベリア、インパール、ガダルカナル、サンフランシスコという戦争にまつわる地名が刻まれ、その中央に、画家の郷里・山口県の三隅町と香月自身の「手」が描かれている。

これと同じように、ラッセンも「風景としての自画像」を描く画家だった。その中でも、ひときわ内省的な「自画像」が《ラハイナ沖のザトウクジラ》［図10］である。手前に描かれたクジラの親子に目が奪われそうになるが、画面の奥に目をやると、ラハイナの町並みがさりげないタッチで描かれていることがわかる。ラハイナは、海に面したフロント・ストリートに沿って広がる小さな町だ。その細部をよく見ると、ラッセンが通った小学校、実在したホテルやギャラリーなどが丁寧に描かれている。さらに町の背後には、稚拙ではあるが「理想化」されていない実直なタッチでマウイの山々が描かれており、その斜面には、ラッセンが通っていた高校の敷地も認めることができる。そして、こうした町並みが海側から逆向きの視線で「見られて」いるのだ。果たして、これは誰の視線によるものだろう。実際にラハイナを訪れることで、この絵はラッセンの全作品の中でも、ひときわ内省的な「自画像」であることがわ

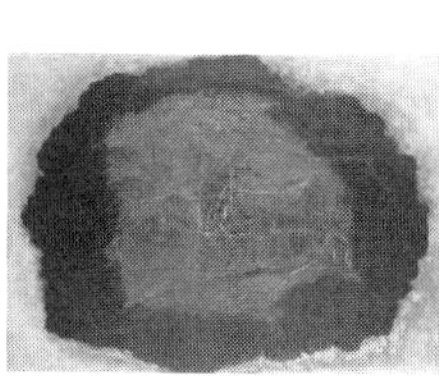

図71：香月泰男
《〈私の〉地球》（1968年）

かった。

そんなラッセンを「美術でない」と糾弾した日本の美術界もまた、ラッセンを自らから遠ざけることによって、逆説的に美術の「自画像」を描き出していた。それとともに、ぼくにとってのラッセン語りもまた、随所に個人的なエピソードがさしはさまれる「自画像」のような性質をもつものになった。

黙殺と饒舌のつけ根にまでさかのぼってラッセンの表現について語ること——それは、わたしたちがわたしたち自身の問題としてラッセンを受け止め、平成の、そして１９９０年代以降の「美術」とは何だったのかを、２つに引き裂かれた両極とともに語ることをようやく可能にする。

1　クリスチャン・リース・ラッセン『Lassen "Art & Soul"』メディエイション、２０１３年、１３９頁。
2　「日本のアート産業に関する市場レポート２０２０」一般社団法人アート東京・一般社団法人芸術と創造、２０２０年。
3　「オリジナル信仰 サイン入り本物版画に人気 こだわり派の若者は月賦も（文化 カネと美術考２）」『朝日新聞』１９９４年６月８日夕刊、朝日新聞社、１９９４年、７面。
4　「「ラッセンとファンが同じ」奈良美智が関係者発言に怒りまくる」『J-CAST ニュース』ジェイ・キャスト、２

０13年10月6日、https://www.j-cast.com/2013/10/06185102.html（２０２３年2月6日アクセス）。

5 中ザワヒデキ「ヒロ・ヤマガタ問題」『方法』第2号、２０００年5月5日、https://www.aloalo.co.jp/nakazawa/houhou/haisinsi/20000505hh002.html（２０２３年2月6日アクセス）。

6 Ultrademon「Yr So Wet 3.0 - Ultrademon + Dj Kiff - "Bubbles" SPLASH008 [MV]」『YouTube』２０１２年9月13日、https://www.youtube.com/watch?v=Z0AWgOnk67A（２０２３年2月6日アクセス）。

7 Christian Riese Lassen, *The Art of Lassen*, Lassen Publishing, 1993, p. 22（なお、同書からの引用文はすべて拙訳）.

8 前野やすし『ウィンドサーフィン――ファンボードの世界』新潮社、１９８５年、１３９頁。

9 Lassen, *The Art of Lassen*, p. 45.

10 *Ibid.*, p. 28.

11 *Ibid.*

12 竹田孝洋「版画の大衆化をめざし顧客本位の販売続ける」『週刊ダイヤモンド』１９９７年7月号、ダイヤモンド社、１９９７年、１０６―１０７頁。

13 「起業家群像 展示会方式やクレジットを導入した〝絵の大衆化〟で店頭公開――アールビバン社長野澤克巳」『財界』１９９７年2月25日号、財界研究所、１９９７年、１２４―１２６頁。

14 「多くの人々に〝美と感動〟の出会いを提供」『経営コンサルタント』１９９７年3月号、経営政策研究所、１９９７年、１１６―１１７頁。

15 ＴＫＣ編「連結税務の標準化に取り組む版画マーケットの先駆者」『戦略経営者』２０１３年11月号、ＴＫＣ、２０１３年、54―56頁。

16 「起業家群像 展示会方式やクレジットを導入した〝絵の大衆化〟で店頭公開」１２４―１２６頁。

17 『消費生活年報１９９８』国民生活センター、１９９８年。

18 「絵画商法（最新更新日：２０１６年12月８日）」『藤森克実法律事務所』２０１６年、http://fujimori-bengoshi.net/kaiga.html（２０２３年２月６日アクセス）。

19 竹田「版画の大衆化をめざし顧客本位の販売続ける」１０６―１０７頁。

20 「多くの人々に〝美と感動〟の出会いを提供」１１６―１１７頁。

21 「名義貸し被害：７億円?」『毎日新聞』２００６年３月９日号夕刊、毎日新聞社、２００６年、７面。

22 「名義や口座貸し契約 絵画購入でローン被害」『朝日新聞』２００６年３月10日号朝刊、朝日新聞社、２００６年、28面。

23 「志摩芸術村はどんぴしゃり」『朝日新聞』三重版、２００１年８月２日号朝刊、朝日新聞社、２００１年、１面。

24 そのとき発売されたＣＤは以下の通り：

クリスチャン・ラッセン（選曲・監修・アートワーク）『アンダー・ザ・シー：クリスチャン・ラッセン・セレクション』ビクターエンタテインメント、１９９７年。

同『サンライズ・サンセット』ビクターエンタテインメント、１９９７年。

同『ファンタジー』ビクターエンタテインメント、１９９７年。

同『セレブレーションＣ・ラッセン』ビクターエンタテインメント、１９９７年。

同『オーシャン・ブルー：クリスチャン・ラッセン・セレクション』ビクターエンタテインメント、１９９７年。

同『パラダイス：クリスチャン・ラッセン・セレクション』ビクターエンタテインメント、１９９７年。

25 「クリスチャン・ラッセン原画展――開催で協賛・共鳴する企業のプロモーション」『宣伝会議』１９９７年８月増刊号、宣伝会議、１９９７年、30―33頁。

26 都築響一・成相肇「美術／でないものへの目線と言葉」『artscape』大日本印刷、２０１２年２月15日、http://artscape.jp/focus/10021527_1640.html（２０２３年２月６日アクセス）。

27 栗原裕一郎「誰がラッセンを求めていたか」『おまえにハートブレイク☆オーバードライブ』２００８年４月22日、http://d.hatena.ne.jp/ykurihara/20080422/1208830217（現在参照不可）。

28 大野左紀子「ラッセンとは何の恥部だったのか」『ohnosakiko's blog』２００８年４月21日、http://d.hatena.ne.jp/ohnosakiko/20080421/1208731778（２０２３年２月６日アクセス）。

29 大野左紀子がブログに投稿した記事のタイトルが、まさしくこの「恥部」にかかわるものだった。同前。

30 中ザワ「ヒロ・ヤマガタ問題」。

31 同前。

32 中ザワヒデキ・村上隆「ヒロヤマガタとは?」『STUDIO VOICE』２０００年９月号、インファス、２０００年、48―51頁。

33 椹木野衣「「歴史の終焉」で地獄が楽園になり楽園が地獄になる楳図かずお的現在」『宝島30』１９９４年４月号、宝島社、１９９４年、１４８―１４９頁。

34 銭清弘「Vaporwave」『現代思想』２０１９年５月臨時号、青土社、２０１９年、２３７―２４０頁。

35 「シーパンク Ultrademon」『Tower Records Online』タワーレコード、２０１３年、https://tower.jp/item/3285758/（２０２３年２月６日アクセス）。

36 同前。

37 anansi「Porpoise Songs: A Tribute To Christian Riese Lassen」『bandcamp』２０１０年、https://anansi.bandcamp.com/album/porpoise-songs-a-tribute-to-christian-riese-lassen（２０２３年２月６日アクセス）。

38 「海」再発見のプロセスについては次の論考を参照した：小倉孝誠「19世紀のフランス人と海」『クールベと

海——フランス近代 自然へのまなざし』ふくやま美術館・山梨県立美術館・パナソニック汐留美術館、２０１0年、12—17頁。

39 髙野詩織「クールベの「海の風景画」と海景画」同前書、22頁。

40 Buchanan, Larry; Byrd, Aaron; DeSantis, Alicia; Rhyne, Emily, "Where Are All the Bob Ross Paintings? We Found Them." *The New York Times*, July 12, 2019. https://www.nytimes.com/2019/07/12/arts/bob-ross-paintings-mystery.html (2023/2/6).

41 Robert Lyn Nelson – American Contemporary Artist, https://robertlynnelson.com/about-rln/ (2023/2/6).

42 Natalia Martin Cantero "Painter Dives into 'Two Worlds' of the Oceans." *The Washington* Times, March 31, 2001. https://www.washingtontimes.com/news/2001/mar/31/20010331-021825-3845r/ (2023/2/6).

43 この作品の制作年については、より詳しい調査が必要である。最も包括的なラッセンのカタログ・レゾネ（『クリスチャン・ラッセン版画作品集』２０１５年）を確認すると、プロフィール欄に「１９８３年　国連〈クリーンオーシャンキャンペーン〉のイメージアートとなる作品《サンクチュアリー》を発表」とあるように、《サンクチュアリー》の初出が83年と記されている。しかし後半の作品リストには、その制作年が98年とも記される。一方、事実上の自費出版といえる、93年にラッセン・パブリッシングから刊行された作品集『The Art of Lassen』を確認してみると、《サンクチュアリー》の制作風景の写真とともに、同作の制作年が「92年」とクレジットされている。さらに《サンクチュアリー》は、92年の国連記念切手のために制作されたこと、そしてこの作品の重要な構成要素である「宇宙的なモチーフ」が89年から描かれ始めたことも同書に記されている（43頁）。この記述は、89年に網状星雲の登場する《レベレーションズ》が描かれていることからも信頼性が高い。さらに、ラッセンにとって83年という年は「2つの世界」処女作にあたる《ラハイナ沖のザトウクジラ》が完成した年にあたるが、この作品と《サンクチュアリー》の間には、描画の密度やモチーフの完成度において大きな隔たりがある。したがって、83年に《サンクチュアリー》が描かれたとする記述は何らかの理由による事実誤認か、92年に国連記念切手に採用されたものとは異なるバージョンの《サンクチュアリー》の存在を示すものであると考え、本論では写真資料や詳細な記述などにより信頼度の高い『The Art of Lassen』を底本に議論を展開することにした。

44 引用図版は『amanaimages PLUS』にて購入。画像名は「Two dolphins swim in the pool の素材」http://plus.amanaimages.com/items/FY3101024722?item_type=all&quetry=dolphin&whole_price_zones=false（２０２３年２月６日アクセス）。

45 菊畑茂久馬『フジタよ眠れ――絵描きと戦争』葦書房、１９７８年、12頁。

46 Lassen, *The Art of Lassen*, p. 178.

47 この部分は、菊畑茂久馬『フジタよ眠れ』における以下の記述を下敷きにしている。「批評はこの希望がなかば叶えられた今、戦争画讃美と断罪を撫でて往復する振子のつけ根にさかのぼり、絵画として批評による克服を果さなければならないのではなかろうか」（菊畑『フジタよ眠れ』8頁）。

48 同前。「それは今日芸術創造全域にわたる「表現とは何か?」という無数の問いかけの洪水から拾いあげた一発の不発弾のようなものではないかということからすべての私の問題ははじまっている」（同前、7頁）。

VAR、ドローン、心霊写真

イントロダクション

2018FIFAワールドカップ・ロシア大会のグループC初戦、フランス対オーストラリア戦は、ワールドカップ史上初めて、ビデオ・アシスタント・レフェリー（VAR）によるPK判定および、ゴールライン・テクノロジー（GLT）による得点判定が下されたという2点において、この大会を象徴する試合となった。

ぼくはロシア・ワールドカップの試合の多くを、テレビではなくiPad miniを通して、具体的には、この大会に合わせてローンチされたスマートフォンアプリ「NHK 2018FIFAワールドカップ」を通して、試合の数日後に観戦することが多かった。

1938年のベルリンオリンピックにテレビ放送が導入されて以降、スポーツはテレビ観戦を前提に巨大な産業を築いてきた。そのことを思えば、モニターの前に仮構された架空の「観客席」は、アプリケーションの発展として技術的に捉えるというよりも、観客の身体の変容という鑑賞の側面から考察される必要があるように思われた。というのも、そのことを自覚させられる出来事があったのである。

あるときアプリを開いて録画映像を観ていたとき、5種類のマルチアングル（「地上波放送と同じ画面」「戦術カメラ」「ワイヤーカメラ」「4分割A」「4分割B」）を自由に切り替えられることに気がついた。試しにカメラ操作をおこなってみたところ、観たいと思った通りにカメラを寄せたり引いたり、時間を進めたり戻したりしながら、試合の映像をゲームのように「操作」できるようだ。かつては「観戦」と呼ばれたスポーツ鑑賞を「操作」という言葉に書き換えるかのようなこの機能は、スポーツを観る人の眼を「全能（プロビデンス）の眼」へと変容させているかのように思われた。

そしてさらに不思議だったのは、この「眼」がピッチ上にもときおり姿を現しているように思われたことだ。VARという「新しい眼」である。それまでは試合の行く末を見守るだけの存在だった観客が、気の向くままにピッチ上を徘徊させられるようになった「眼」は、ゲームの重大な局面になるとしばしばピッチ上にも登場し、試合の流れを強引に断ち落としたり、すでに過ぎた時間に試合を巻き戻したりしながら、ときには主審の判定すら覆しているように見えた。果たして、この事態はいったい何なのだろうか。

それに加えて、このアプリを操作しているときに幾度となく脳裏をよぎった存在がある。ドローンだ。大小さまざまなドローンを数千機以上保有するアメリカ軍の定義によれば、ドローンとは「遠隔的ないし自動的に制御される陸上、海上ないし航空の乗り物」を指している。[1] つまりドローンという言葉は「人間不在」で駆動する乗り物の総称であるのだ。搭乗する人間が不在であるため、ドローン

図1：オディロン・ルドン《眼＝気球》（1878年）

には遠隔地から操作するための「眼」が装着される。こうした眼が気球のように膨れ上がり、宙に浮かぶ怪物の姿を思い浮かべてほしい［図1］。

本論は、まずこの怪物を描写することを最初の目標とする。そのために、こうした眼が「見る側」と「見られる側」それぞれの身体にどのような影響をおよぼしているのかを明らかにしていきたい。さらにこの「眼（レンズ）」が、いつ・どのようにして生まれたのかを探りながら、その問題の核心へと迫っていこう。また、本論は執筆がおこなわれた2018年10月時点の情報でまとめられたものだということも付言しておく。

VARとは?

国際サッカー評議会（IFAB）が制定し、日本サッカー協会（JFA）が翻訳した2018／19年版『サッカー競技規則』によると、VARとは「「はっきりとした、明白な間違い」または「見逃された重大な事象」状況に限り、リプレー映像からの情報に基づき連絡をとって主審の援助を担当する審判員」[2]であるとされる。

また、VARを援助する審判員として、アシスタントVAR（AVAR）が設置されており、この両者を統合して「「ビデオ」審判員」と呼ぶ（これに対置されるのが、主審・副審・第4の審判員・追加副審・リザーブ副審などから成る「「フィールドにいる」審判員」だ）。この「ビデオ」審判員にリプレーオペレーター（RO）が加わり、VAR・AVAR・ROの三者が同居する空間がビデオオペレーションルーム（VOR）である。これは「スタジアム内か近接の場所、または、遠隔の場所」、要するにピッチ外であればどこにでも設置されうる任意の空間であり、試合中、ここに先の三者以外の人間が入ることは厳しく禁止されている。

こうした環境下において、VARが担う任務は以下の4点にかんする「主審の援助」である。

a. 得点か得点でないか
b. ペナルティーキックかペナルティーキックでないか
c. 退場（2つ目の警告〔イエローカード〕によるものではない）
d. 人間違い（主審が、反則を行ったチームの別の競技者に対して警告したり退場を命じた）[3]

このように、いまのところVARが介入する内容は限定されている。また、VARはあくまで主審に「助言」をおこなう立場に過ぎず、「判定」を下す主体ではない。しかし、以下の原則に注目してほしい。

> 主審が下した判定は、ビデオによるレビューでその判定が「はっきりとした、明白な間違い」であると判明した場合を除いて、変更しない。[4]

この文言を裏返せば、「はっきりとした、明白な間違い」である場合、VARが提供する情報は主審の判定を覆す可能性を有するということになる。実際にロシア大会では、一次リーグの全48試合中17件にVARが適用され、うち14件で主審の判定が覆った。[5] さらに以下の規定は、VARが潜在的に主審の決定権を凌駕しつつあることを暗示している。

> VARはフィールドにいる審判員が用いている通信システムに入り、審判員の会話をすべて聞くことができる。[6]

この一文では、端的に、VARと「フィールド審判員」の非対称性が表現されている。つまり、VARから審判員を「見る／聞く」ことはできても、審判員からVARを「見る／聞く」ことはできないのだ。VARの誕生によって、生身の身体をもってフィールドに立つ審判員は、プレイヤーらのプレーを「見る」主体であると同時に、VARから「見られる」客体になったのである。

また、そうした変化を象徴する場所がある。レフェリーレビューエリア（RRA）だ。この場所は、競技規定では次のように定義されている。「透明性を担保するため、レビューをおこなっている間、主審は外から見られるような状態でいなければならない〔傍点引用者〕」[7]。「競技のフィールド外で目に見える場所」に設置することが義務づけられるRRAは、ロシア・ワールドカップではピッチ脇すぐのところに設置されていた。

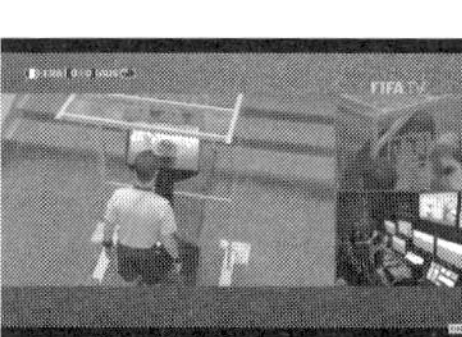

図2：2018FIFA ワールドカップ・ロシア大会「フランス対オーストラリア」の試合における、ワールド カップ史上初のVAR判定の様子（「France vs Australia - 2018 FIFA World Cup RussiaTM - MATCH 5」YouTube）

実際にこの場所に主審が立って、モニターを眺めている様子〔図2〕が幾度となく映像に映し出されたが、それを見るたびにとても奇妙に感じてしまった。というのも、審判がじっと見ているリプレー画面は、いままさに手元のデバイスで見ている映像とまったく同じものだったからだ。そのため、映像の中で「レビュー」している審判の立つ空間（RRA）は、観客として映像を「レビュー」する人々が座る「観客席」と重なるように思われた。そこで主審は、映像を「見る」と同時にその様子を「見られて」もいたのだ。

「全能の眼」は、この「見る主審」と「見られる主審」が有する2種類のまなざしを同時に保持している。主審はこの片眼として、R

RAから試合のディテールを隈なく見つめる一方で、自らの振る舞いのディテールのすべてを隈なく見つめられている。その結果、ロシア大会における「正しいジャッジ率」は、前回ブラジル大会の95パーセントから99・3パーセントにまで引き上げられた。[8] 一見してすばらしい成果である。しかし、本当にそうなのだろうか。この数値の変化が意味することは何なのか、さらに掘り下げていきたい。

VAR導入の歩み

世界で初めてVARを導入した国はオランダだった。2012―13シーズンの国内リーグにおいて、オランダサッカー協会（KNVB）は「Refereeing 2.0」というプロジェクトを立ち上げ、VARの試験導入を世界で初めて決断した。[9] その結果は満足なものに終わり、さっそくKNVBは14年、VAR導入に向けた嘆願書をIFABに提出している。それを受けてIFABは、16年総会で早くもVARの試験的な導入を決定した。

2016年8月には、北米3部リーグにVARが試験導入され、同年9月にはイタリア対フランスの試合において、国の代表戦としては初めてVARが用いられた。さらに17―18シーズンには、ドイツ・ブンデスリーガやイタリア・セリエAといったトップリーグで正式運用が始まり、いよいよこの新しいシステムは市民権を獲得していった。この間わずか5年の出来事である。

　２０１８年3月には、ＦＩＦＡ理事会でロシア・ワールドカップの全試合にＶＡＲを導入することが承認された。そしてW杯での判定第1号は、本論の冒頭で紹介した通りである。これを端緒に、ＶＡＲはグループステージで合計３３５回のインシデント中14回の判定修正を促すにいたった。また先にも述べた通り、ＶＡＲの導入によって正しいジャッジ率は大幅に高められ、その導入は華々しい結果を残している。ＦＩＦＡのジョヴァンニ・Ｖ・インファンティーノ会長はこの結果を受けて、「（ＶＡＲは）サッカーを変えるのではなく、より透明性のあるものにした」と誇らしげに語り、その功績のひとつとして「得点場面におけるオフサイドの有無に関する議論の必要性がなくなったこと」などを挙げている。[10]この流れに沿うように、18年の時点で、今後ＶＡＲの適用範囲が拡大していくことはほぼ既定路線になっている。

　しかし、そんな華々しいＶＡＲにも、導入時にはさまざまな疑問が投げかけられている。その是非を巡って表明された懸念点はさまざまにあるが、その内容は主に２つの論点に集約される。以下はサッカーライターの小川光生（みつお）による分析[11]を参照した内容である。

懸念１――ゲームの流れ

ひとつめの論点は、連動したプレーの流れが重視されるサッカーにおいて、判定のためにたびたび試合を中断することがゲームの流れを断ち切ってしまうのではないかという懸念だった。世界で最も早くＶＡＲが正式導入されたリーグのひとつであるイタリア・セリエＡにおいて、導入から３節が経過した時点で、ＶＡＲ実行のためにかけられた時間は１試合平均で１分22秒だった。それが全38節とコッパ・イタリアの17試合を合わせた合計３９７試合が経過した時点では、ＶＡＲが介入したケースは合計１１７回あり、平均所要時間は31・５秒にまで短縮されている。シーズンを通して、アディショナルタイムも前年より平均で13秒増加しただけだったため、ゲームの流れが断ち切られるのではないかという懸念は不要なものであることがわかった。[12]

その一方、予想外に興味深いデータも採取された。選手側の振る舞いの変化である。まず、イエローカードの数が前シーズンよりも12・３パーセント減少し、レッドカードの数は７・１パーセント減、さらにペナルティーエリア内でおこなわれるシミュレーションからのファウルにいたっては35・３パーセントも減少し、審判への暴言や抗議でレッドカードが出された回数は前シーズンの11回に対してわずか１回にまで激減した。[13] こうした変化は、ＦＩＦＡ会長のインファンティーノが述べるような「透明性」を向上させるものというよりも、選手側が「見られている」ことをはっきりと意識し始めたことを意味する。つまり、それまでピッチ上で選手と観客のみが共有していた死角が、ピッチ上から消滅してしまったということだ。

ちなみに、VARはまだ過渡期のテクノロジーであるため、今後その適用範囲をどこまで広げるべきなのかについては議論が続けられている。たとえば、直接ゴールに絡まないファウルをVARが裁くべきなのか。2018年の時点では、こうしたプレーはVARの適用範囲外とされている。しかし、もし今後これらにVARが適用された場合、選手側の振る舞いにさらなる影響が及ぶことは十分に予測できる。またオフサイドにかんしては、3Dカメラを導入することによって、数センチメートル単位で判定が可能になるシステムの構想がすでに実現に向けて動き始めている。[14]

懸念2——機械による判定

VAR導入にまつわるもうひとつの懸念は、判定を人間ではなく機械がおこなうことに対して寄せられた。セリエAにVARが導入された当時、ユヴェントスのゴールキーパーだった元イタリア代表のジャンルイジ・ブッフォンは、「このままだと、審判が試合の流れを読みながらゲームをコントロールする能力の違いを楽しむこともできなくなる」[15]と述べ、VARの導入に否定的な意見を表明している。こうした見解は、単純にジャッジから人間味が失われることへの不安として理解すべきではなく、むしろ、サッカーからサッカーらしさが失われてしまうことに対して寄せられたものとして理解するべきである。それでは、サッカーの「サッカーらしさ」とは何か？　そのことを考えるために、以下ではサッカー分析家・五百蔵容（いほろいただし）による考察を参照[16]してみたい。

　まず、サッカーはスポーツ全体の中で「ボールゲーム（球技）」に分類され、その中でも敵陣と自陣にそれぞれのゴールがある「ゴール型ボールゲーム」に分類される。また、攻守の切り替えがシームレスにおこなわれることもサッカーの特徴であり、その点ではラグビー、バスケットボール、ハンドボールなどとも近い。しかしそれらとの違いは、大きく次の3点に集約される。

　1つめは、フィールドプレイヤーの人数に対してピッチサイズが非常に大きいということ。たとえば、バスケットボールのピッチサイズは28×15メートルでプレイヤーが5人いるのに対して、サッカーとラグビーはともにピッチサイズが１００×70メートルもある。そしてラグビーのプレイヤーが15人であるのに対して、サッカーのプレイヤーは11人と比較して少ない。

　2つめは、サッカーでは足でボールを蹴るため、手でボールを移動する球技に比べてボールの移動速度が速く、その移動距離も長いということが挙げられる。それによって、パスの長短／遅速を自在につけられるため、守備側は攻撃側に対して常に大きなリスクを背負うことになる。

　3つめは、アメリカンフットボールのように攻撃権ルールでフェイズ分けをすることもなく、どこからでもプレーの起点がつくれるため、1人のプレイヤーで対応しなければならないスペースが広く、1試合あたりの選手の平均走行距離が長くなるということ。プロ選手の平均的なデータでは、アメフト2キロメートル、バスケ4・6キロメートル、ラグビー6キロメートルに対して、サッカーは11〜12キロメートルとその差が大きく開いている。[17]

以上の点から、サッカーという球技の特徴は次のようにまとめられる。

サッカーの攻撃においては、広大なフィールドをどのように支配するかという点に課題が集約され、守備においては、フィールドに対するプレイヤーの少なさがもたらすリスクをどのようにマネジメントするかという点にその課題が集約されるのだ。そのため、現代のサッカー戦術では、フィールドを仮想的に区切ったゾーンを各選手が分担する「ゾーンマーク」を基礎としながらも、部分的に個々の選手単位で相手をマークする「マンマーク」を取り入れた戦術が主流となっている。[18] この2つの概念のハイブリッドは、広大なフィールドを相手にとって意味のあるエリア（使うことのできるエリア）と意味のないエリア（使うことのできないエリア）へと分割し、攻撃時には前者を有効に使い、守備時には後者をできるだけ増やすということをサッカーにおける重要なテーマにした。

それにともない、現代サッカーでは、ボール保持者以外のプレイヤーの動きの重要性が高まっている。そしてこの点が、サッカーを機械的に判定することの難しさにも繋がっているのだ。たとえば野球の場合、それがラジオ中継によって広く受容されていることからも明らかな通り、ある得点や失点の成果や責任が「誰に帰属するのか」が常に明確であり、またそれぞれのプレーについても精緻に数値化することができる。

それに対してサッカーは、直接得点や失点が決められたシーンを数値化するのみでは不十分で、そのシーンを可能にした状況の創出や防止こそが本質的な試合の「内容」であるといえるため、それを裁くレフェリーにも、その都度の状況を即座に理解し「試合の流れを読みながらゲームをコントロールする能力」が求められてくるのだ。

もちろん、こうした状況を「コントロール」すること自体は、高度に発達した機械であれば不可能ではないかもしれない。しかしその「責任」を人間以外の主体に負わせることができるのかという問いは、むしろVARの成果が数値的に証明され、その適用範囲が今後ますます拡大していく中で、より具体的な個々の場面で問われていくことになるのではないだろうか。

つまり、ここで懸念されている問題の本質は、人間ではない主体が主審の人間的なジャッジに影響をおよぼしつつあるという現実を、人間である私たちがどのように受け入れるのかという問いへ換言されるものなのである。そしてこの問いがよりラディカルになった場面は、「疑似戦争」としてのスポーツの世界を飛び越えて、「現実の戦争」において如実に観測することができる。

> スポーツイベントの配給元は、特定の選手や勝利を決めるシュートに関連した映像を集め分類したがるが、軍のほうも反乱者を追跡するために同様の能力をもちたい〔……〕[19]

アメリカ空軍のラリー・ジェイムズは、かつて次のように語っていた。「データの収集および分析の点では、スポーツ・チャンネルは、軍事部門よりもはるかに先に行っている」[20]。実際にアメリカンフットボールのスタジアムでは、数十の高解像度カメラが選手たちの姿を追い、いかなるプレーであれ演出家が瞬時にリプレーできるよう、すべてのシークエンスを即座にインデックス化する高性能ソフトウェアが用いられていた。膨大なプレーを遅延なく管理するためには、大容量の映像データを円滑に処理する能力は不可欠であり、その分野においてスポーツ産業が先を走っていたのだ。そしていうまでもなく、VARの運用にもこれと同じデータ処理能力は欠かせず、アメリカ軍が目をつけたのもこの処理・解析能力だった。

ところで、ドローンが誕生したきっかけには、人間の身体から眼とその他の部位を切り離すことへの欲望が働いていた。そもそも「ドローン（drone）」という言葉は、蜜集めの仕事をしない雄ミツバチやその羽音、あるいはそれが転じて「とるにたらないもの」を意味していた。

その起源は第二次世界大戦が始まったころ、アメリカ軍が砲兵の訓練用に用いていた小型の飛行標的を「ドローン標的」と呼んだことにあった。現代の軍事用語では、武器が装備されていないドローンを「無人航空機(Unmanned Aerial Vehicle, UAV)」と呼び、武器が装備されているドローンを「無人戦闘航空機(Unmanned Combat Air Vehicle, UCAV)」と呼ぶ。

当時まだ「とるにたらないもの」に過ぎなかったドローンへの認識が次第に変化し始めた1964年には、ジョン・W・クラークという技師によって「過酷な環境での方法論」[21]という調査目録が作成されている。クラークはそこで「過酷な環境」における遠隔操作装置の必要性について説き、深海、放射能汚染区域、そして戦場などをその具体的なケースとして挙げたのである。

遠隔手は、暑さや、放射性物質、深い海底などの危険に身を晒すような、人間が行なう民生部門の任務を遂行する遠隔操作マシンの調整でくたくたになる。彼らには優先順位の感覚があるのだろうか。安全という点で、まず気にかけるべきは、世界でもっとも危険な仕事、つまり戦争産業ではないだろうか。〔……〕二〇世紀にもなって、一兵卒の遠隔手が代わりをうまくこなせるにもかかわらず、なぜ人間が弾丸や砲弾の被害を受け続けなければならないのか。〔……〕これまでのような戦争はすべて、遠隔操作された軍用ロボットの武器が戦場で対面しつつ行なうことができる。[22]

人間の身体から眼だけを切り離し、「純粋な視覚」が得られた結果、人類がたどり着いたところが「世界でもっとも危険な」現場、戦場だったのである。このことは、人間の身体における視覚（眼球）の意味づけを考えるうえで興味深い。軍事戦略の文脈では、しばしば「脆弱性（vulnerability）」という言葉が用いられる。これは「攻撃を受ける可能性」を指す言葉で、戦場において脆弱性は低ければ低いほど理想に近く、攻撃性は高ければ高いほど理想に近い。すなわち、戦場で想定される理想的な状況とは「一方的に見ている状況」となり、ゆえにドローンを用いた「純粋な視覚」がその解になり得たのである。

遠隔操作されたマシンが戦争マシンとなるとき、敵は危険な物質として扱われることになる。人はそれを遠くから排除し、エアコンの効いた「安全区域」の快適な温室のスクリーンでそれが死んでゆくのを眺めるのである。非対称戦争は徹底化され、一方的な戦争になる。というのも、もちろん人はそこであいかわらず死ぬのだが、ただ一方の側でだけだからだ。[23]

アメリカ軍は２０１２年の時点で６０００機以上のドローンを保有しており、その中には空軍所属の無人攻撃機も１６０機以上含まれている。[24] またドローン・オペレーターの数は軍の戦闘機と爆撃機のパイロットを合計した数よりも多く、ラスベガス近郊にはドローン船団が拠点とするクリーチ空軍基地も稼働している。

このように、いまやアメリカ軍の中でドローンは欠かせない存在になっているが、その中でも「RQ-1プレデター」、通称「捕食者」と呼ばれる機体がエポックメイキングになった。１９９４年にゼネラル・アトミックス社が開発を始めた同機は、99年にコソボで初めて導入された時点ではまだ攻撃機能をもたない偵察機として用いられていた。しかしコソボで活動するドローンを見た将校が、機体に対戦車ミサイルを装備させることを思いつき、２００１年に史上初めて攻撃機能を有する「捕食者」が誕生することになった。そして、ドローンにまつわる問題が加速していくのはここからである。

その主な問題は2つのかたちで表面化した。１つめは、非常に高い確率でドローン・オペレーターが心的外傷後ストレス障害（ＰＴＳＤ）を発症し始めたということ[25]、２つめは、ドローン・オペレーターに「武勲」を与えるべきか否かという議論が噴出したことだ。これらの問題が意味することは何なのか。まずは前者から見ていこう。

前方を走っていた男は、右足を失っていました。そして私は、〔サーモグラフィー越しに〕男性が出血するのを見て、流れたばかりの血は熱いのだと理解しました。その後男性は時間をかけて亡くなり、身体が冷たくなっていくにつれて、サーモグラフィーに映る像は地面と同じ緑色へと変化していったのです。〔……〕眼を閉じれば、今でも私はそのときのピクセルひとつひとつを思い浮かべることができます。[26]

ブランドン・ブライアントは、ドローン・オペレーターとして過ごした約5年の間に、1626人もの人間の死に関わったのち、PTSDを発症して軍隊を退いた。先述の証言は、彼が初めて「出撃」したミッションについてNBCのインタビュアーに語った内容である。彼は同じインタビューの中で、「無人機を操縦するときには、航空機が旋回するときの重力を感じることもなければ、エンジン音を聞くこともありません。だから戦場にいるときの感覚とは完全に異なります。ですが、ドローンから送られてくる映像はとても鮮明で現実的なものでした[27]」と語っている。またオペレーターを辞めた動機について、最初のうちは「テレビゲームのような感覚だが、そのうち命へのリスペクト、敬意を失っていくことに気づいて[28]」いったからだと語っている。

2011年にアメリカ空軍がおこなった調査[29]によると、米国のドローン・オペレーターの実に17パーセントが「臨床的苦痛」の症状を訴えていたとされている。またオペレーター不足は近年大きな問題となっており、15年には年間180人の新規訓練生が集められたのに対して、230人の現役オペレーターが退役を余儀なくされている。[30]こうした状況を食い止めるために、15年12月に米空軍は、継続して勤務したパイロットには年間2万5000ドル（約295万円）の賞与を最長5年間支給することを発表した。[31]

なぜ、ここまでして彼・彼女らを繋ぎ止めなくてはならないほど、オペレーターは大きな負担を感じているのか。その理由として挙げられるのは、主に次の3つの要因である。

1つめは、最大12時間にもわたってモニターを見続けることからくる身体的苦痛。2つめは、爆撃シーンを高精細な映像で目撃することからくる精神的苦痛。3つめは、自家用車で基地に通勤し「戦場」で戦ったあと、帰りにスーパーで買い物をして帰宅し、休日には子どものスポーツの試合に出かけるといった特殊なライフスタイル[32]に起因するものが挙げられる。

とはいえ、1つめの理由に対しては、勤務条件の改善によって解決される可能性があるため、ドローン・オペレーターに特有の問題であるとはいえないだろう。2つめの理由については、同じモニターを見ながら「発射命令」を下す上官以上に、「発射ボタン」を押すパイロットが多くの場面で精神的苦痛を訴えていることから、単純に視覚的なストレスによるものであるとはいい難い。3つめの理由については、アメリカ国内で自宅から基地に通う軍人は数多くいる中で、とりわけ画面の中の「戦場」と日常を行き来するドローン・オペレーターの身体に絞って考えてみる必要があるだろう。

ドローン・オペレーターの「武勲」

ドローンのオペレーターが図らずも有してしまった身体性について考えるために、彼らに対する「武勲」を巡っておこなわれたある議論を紹介したい。空軍がオペレーターに多額の賞与を支給することを発表したのに先駆けて、2012年9月、ペンタゴンは彼らに名誉勲章を与えるか否かの検討を開始した。[33] しかし、過去の勲章取得者らを中心に退役軍人から多数の反対意見が寄せられ、結果的には「Valor（武勇）」の頭文字「V」の代わりに「Remote（遠隔）」の頭文字「R」を刻んだミニメダルを授与するということでこの議論は落着した。

このときに寄せられた反発の根幹には、生身の身体を死に向けて差し出していない（=「勇敢」ではない）ドローン・オペレーターに対する差別意識があった（それを証言する例として、このメダルは一部の軍人たちから「ニンテンドーメダル」と揶揄されていたという）。[34]

さらに、「無人航空機」の英語名である「Unmanned Aerial Vehicle」に含まれる「Unmanned」とい

図3：軍用ドローンのオペレーション・ルームの様子（Ethan Levitas 撮影「Confessions of a Drone Warrior」GQ）

う言葉は、直訳すれば「脱－人化した」という意味になる。ドローン・オペレーターは、戦場では身体をもたない「一方的に見る主体」〔図3〕であり、それゆえに彼ら自身の身体が傷つけられることもなく、戦場で起きている出来事と自身の身体が乖離していったのである。

PTSDと武勲、そして脱－人化。これらの並列する問題は、ある出来事と人間が直接的な関係性を構築できなくなった状況に起因している。先述したユヴェントスのGKブッフォンの発言を思い出してほしい。彼はサッカーから「人間味」が失われてしまうことに対して懸念を表明していた。それは単に古い慣習が失われてしまうことへの懐古的な反発ではなく、人間ではない主体が試合の勝敗を左右してしまうという新しい現実を、ほかならぬ人間がどのように受け入れ、理解すべきなのかという問いに変換されるものだった（たとえば、もしVARやGLTがなんらかの理由で重大な誤審を起こした場合、私たちはその判定の責任を誰に問えばよいのだろうか）。

これと同じ構造をUCAVも反復している。すなわち、ドローンが人を殺傷するとき、傷つけられた人は「誰」を憎めばよいのだろうか。あるいは、ドローンのレンズ越しに人を殺傷した人は、その一方的な殺戮を自らのおこないとして正しく認識することができるのだろうか。被害と加害、あるいは死と生というコントラストこそあれ、両者は同一の問題をガラス一枚隔てて共有している。

果たしてこの問題の原型はどこにあるのか。そのひとつに数えられるのは、写真家であり気球乗りでもあったナダール（本名：ガスパール＝フェリックス・トゥールナション）が、１９５８年にパリ上空で世界初の航空写真を撮影した出来事に見出すことができる。

安価で感光時間の短い湿板写真が発明されて間もなかった当時、１８５０年代より気球技術の探究を始めていたナダールは、自らが操縦する気球にカメラをのせてパリの街並みを撮影することを思いついた。[35] 世界で初めて生み出された航空写真は当時の人々を驚かせ、オノレ・ドーミエも《写真を芸術の高みに浮上させようとするナダール》〔図4〕という銅版画を制作し、その驚きを伝えている。そして、当時最先端だったこの技術は、実用化されるとすぐに軍事目的に転用されることになった。初の航空写真が撮られて12年後、１８７０年に勃発した普仏戦争において、ナダールは軍用気球を建造し、パリに進軍するプロイセン軍の偵察任務をおこなっているのだ。

図4：オノレ・ドーミエ《写真を芸術の高みに浮上させようとするナダール》（1862年）

ここではまず、空高くからカメラを用いて辺り一帯を見渡すという行為が、のちのＶＡＲやドローンを予見させるということを指摘しておきたい。またさらに、ナダールが「空から世界を見渡す」という欲望と組み合わせて使用した「写真機」という新しい技術がたどり着いたもうひとつの帰結として、航空写真と同時期に「心霊写真」という写真実践が生まれ、これがVARやドローンに特有の「誰か」の視線を象徴していたことも指摘しておく必要がある。

世界初の航空写真の誕生からわずか3年後の1861年、写真師ウィリアム・マムラーはボストンで、記録に残っているものとしては初めて心霊写真を撮影した［図5］。その後、1873年末にはパリを拠点に活動していた写真師のエドゥアール・ビュゲーも心霊写真の実践を始めている。彼らが顧客の求めに応じて撮影する心霊写真は大きな話題となり、写真館には人々が殺到するようになったが、その成功も長くは続かず、1875年にビュゲーは客を装った警官のおとり捜査によって詐欺の疑いで現行犯逮捕されてしまう。その後の裁判では、ビュゲー自らが二重露光による心霊写真の作成術を開陳することによって、その写真の「制作者」であることを自白することとなった。

ここで興味深いのは、その写真の真偽を立証する行為が、写真のつくり手を突き止める作業としておこなわれたことである。つまり、その心霊写真が偽物であることを突き止めるためには、その「作者」が特定される必要があったのだ[36]。

逆にいえば、その心霊写真が本物であることを証明するためには、その「作者」は決して特定されてはならなかった。裁判のプロセスでは写真師自らがその偽造を認めることとなったわけだが、にもかかわらず、顧客らはその写真が本物の心霊写真であることを主張してやまなかった。なぜだろうか？

まず、そこに写る像がかけがえのない故人であると信じたい顧客たちにとって、写真の「制作者（Performer）」と「作者（Author）」が別々に認識されていたのだと考えられる。すなわち顧客らにとって、写真制作の「手段」を開陳したビュゲーは文字通り担い手としての「行為者（Performer）」に過ぎず、それとは別に、その写真を実現した超越的なもの（心霊）の存在が希求されていたのである。しかし顧客たちにとっては不幸なことに、そこで想定された「心霊」は、近代社会では決して――たとえば「作者」という概念のようには――広く受け入れられる観念ではなかった。しかしそれにもかかわらず、写真機が惹起する「誰かの視線」は、決して熱烈な心霊主義者ではない人々にもその存在を直観させてしまうほど、いまここにはいない「誰か」の存在を感じさせたのだった。

図5：ウィリアム・マムラー《リンカーン夫人のポートレイト》（1872年）

このときに顧客たちが感じた「誰か」の視線は、VARの導入によって選手たちが感じるようになった視線と重ねることができる。そしてその「誰か」とは、ときに試合の時間を巻き戻したり進めたりしながら、あらゆるプレーのディテールを隈なく監視するようになった画面の向こうの「操縦者」、すなわち私たち自身のことであった。こうして、「視線」をめぐる本論の考察は一巡することとなった。19世紀に空から無邪気に人々を見下ろしていたナダールの視線が、写真機を介して「心霊」へと憑依し、さらにはスポーツ選手を「監視」する裡なる視線と化し、21世紀に入ると、難なく人間を殺戮してしまう恐ろしい兵器へと姿を変えたのだ。

ところで、以前から不思議に思っていたことがある。なぜ、心霊写真を見ることはかくも楽しく、一時期の日本でマスメディアを通して人々に親しまれるようになったのかということだ。

その理由を推察してみるに、この時期に日本で流行した心霊写真の特徴として、写された人物の全員がもれなく、他者からの視線に対して無防備であること、つまり、彼・彼女らが写真のうえでは、「心霊」からも「視聴者」からも見られていることを微塵も意識していないという点が挙げられる。つまり心霊写真は、もともとは親密な誰かに見られることを想定した存在（記念写真）でありながら、そこに「心霊」という外部の視線が介入することによって、異なる文脈に配置し直されたイメージであったのだ。

すなわち、そこではイメージの誤配が生じていることになる。見られる身体としては、それがそのようなかたちで見られるということを想定し得なかったにもかかわらず、異なる文脈／時代からの一方的な視線に晒されてしまうということ。そうした事態が生じることによって、本論で考察してきたような「全能の眼」が出現することになったのだ。

またある時期から、ぼくは引き取り手のない写真を引き取るという活動をおこなうようになった。それはやがて《写真の山》という名の資料体となり、《One Million Seeings》という映像作品へと結実していく。同作品は、大量の写真を長時間にわたり「ただ見る」パフォーマンス／映像作品であるが、そこには先述したような「視線」を、自らの身体を通して過剰に引き受けてみたいという欲望もあった。「見ること」の危険な快楽へと身を投じながら、ことさら道徳的に振る舞うわけでもなく、さらには消費者としての快楽に溺れるわけでもなく、その恐るべき可能世界に接近してみることはできるだろうか。

1 Department of Defense, "Dictionary of Military and Associated Terms," Joint Publication 1-02, 2011/8, 109（グレゴワール・シャマユー『ドローンの哲学――遠隔テクノロジーと〈無人化〉する戦争』渡名喜庸哲訳、明石書店、２０１８年、21頁）.

2 『サッカー競技規則 ２０１８／19』日本サッカー協会、２０１８年、66頁。

3 同前、１３５頁。

4 同前。

5 河野正樹「ビデオ判定で覆った判定14件、正確性99・３％ W杯」『朝日新聞 DIGITAL』朝日新聞社、２０１８年６月30日、https://www.asahi.com/articles/ASL6Z25W4L6ZUTQP001.html（２０２３年２月６日アクセス）。

6 『サッカー競技規則 ２０１８／19』１３８頁。

7 同前、１３６頁。

8 中山淳「ロシアW杯で見えた世界の潮流と、フランス、ベルギー、イングランドの共通点」『web Sportiva』集英社、２０１８年７月22日、https://sportiva.shueisha.co.jp/clm/football/wfootball/2018/07/22/post_109/（２０２３年２月６日アクセス）。

9 ジョアン・メデイロス「サッカーW杯で賛否両論！「ＶＡＲ」によるヴィデオ判定導入の舞台裏」オカチヒロ訳、『WIRED』コンデナスト・ジャパン、２０１８年６月28日、https://wired.jp/2018/06/28/var-world-cup/（２０２３年２月６日アクセス）。

10 「減る誤審、主審の権威は？＝初導入ＶＡＲの功罪――サッカーW杯」『JIJI.COM』時事通信社、２０１８年７月17日、https://www.jiji.com/jc/worldcup2018?s=news&k=2018071700911（２０２３年２月６日アクセス）。

11 小川光生「ＶＡＲが映し出すフットボールの未来」『WORLD SOCCER KING』２０１８年９月号、朝日新聞出版、58―61頁。

12 同前、60頁。

13 同前。

14 フットボールゾーンウェブ編集部「VARでの〝オフサイド判定〟が近い将来導入か　イタリア審判委員長が示唆「肯定的」」『FOOTBALL ZONE』Creative2、2018年2月18日、https://www.football-zone.net/archives/91232（2023年2月6日アクセス）。

15 小川「VARが映し出すフットボールの未来」58頁。

16 五百蔵容『砕かれたハリルホジッチ・プラン――日本サッカーにビジョンはあるか？』星海社、2018年。

17 同前、90―93頁。

18 同前、93―99頁。

19 Sharon Weinberger, "How ESPN Taught the Pentagon to Handle a Deluge of Drone Data," *Popular Mechanics*, 2012/6/11（シャマユー『ドローンの哲学』53頁）.

20 *Ibid.*（同前）.

21 John W. Clark, "Remote Control in Hostile Environments," *New Scientist*, vol. 22, no. 389, 1964/4, pp. 300–303.

22 *Ibid.*（シャマユー『ドローンの哲学』35頁）.

23 シャマユー『ドローンの哲学』、35―36頁。

24 Department of Defense, "Report to Congress on Future Unmanned Aircraft Systems," April 2012, www.fas.org/irp/program/collect/uas-future.pdf（シャマユー『ドローンの哲学』24頁）.

25 ローレン・ウォーカー「ドローン操縦士を襲うPTSD」『ニューズウィーク日本版』CCCメディアハウス、2015年5月19日、https://www.newsweekjapan.jp/stories/us/2015/06/post-3710_2.php（2023年2月6日アクセス）。

26 “Former drone operator says he's haunted by his part in more than 1,600 deaths,” *NBC NEWS*, 2013/1/6, https://www.nbcnews.com/news/investigations/former-drone-operator-says-hes-haunted-his-part-more-1-flna6c10221271 (2023/2/6).

27 *Ibid.*

28 増田悦佐『夢の国から悪夢の国へ――40年間続いたアメリカン・バブルの大崩壊』東洋経済新報社、２０１４年、４２４頁。

29 Sam Biddle, “Our Drone Pilots Are Burning Out,” *GIZMODO*, 2011/12/19, Filed to: DRONES, https://gizmodo.com/5869484/our-drone-pilots-are-burning-out (2023/2/6).

30 岡田敏彦「軍用ドローン操縦者、ボーナス１５００万円でニンジン… パイロット精神蝕む２つの問題」『産経WEST』産経新聞社、２０１６年１月19日、https://www.sankei.com/west/news/160119/wst1601190007-n1.html（２０２３年２月６日アクセス）。

31 同前。

32 ウォーカー「ドローン操縦士を襲うＰＴＳＤ」を参照。また、２０１４年に公開された映画『ドローン・オブ・ウォー』（原題：Good Kill、監督：アンドリュー・ニコル）でも同様の描写が見られる。

33 Al Kamen, “Drone Pilots to Get Medals?,” *Washington Post*, 2012/9/7（シャマユー『ドローンの哲学』１２２頁）.

34 Andrew Tilghman, “DoD rejects ‘Nintendo medal’ for drone pilots and cyber warriors,” *Military Times*, 2016/1/6, https://www.militarytimes.com/2016/01/06/dod-rejects-nintendo-medal-for-drone-pilots-and-cyber-warriors/.

35 小倉孝誠『写真家ナダール――空から地下まで十九世紀パリを活写した鬼才』中央公論社、２０１６年、１２５―１４８頁。

36 橋本一径『指紋論――心霊主義から生体認証まで』青土社、２０１０年、20―37頁。

著作の重量

1

ある時期から、写真のせいで筋肉痛になるようになった。倉庫を兼ねたスタジオとして、東京都北区王子にある古いビルの5階の部屋を借りているのだが、その建物にはエレベーターがないため、何かあるたびに1階と5階の間を何度も往復する羽目になる。数年前から写真がぎっしり詰まった箱を抱えてここを行き来することが増えて、そのたびに筋肉痛になった。あまり意識されることはないと思うが、実は写真はかなり重たい。

毎週末、東京都品川区にある大井競馬場でフリーマーケットが開かれている。フリマといえば、ファミリーが交流する和やかな空間を思い浮かべるものだが、ここの場合は少し異なる。稀に普通のフリマと勘違いして出店したファミリーが困惑してたたずむ様子を見かけるほどに、この場所には生活の糧を賭けた人々が集まっている。

そこは、まるで現代の闇市のような様相だった。売られているのは、使い込まれた食器、壊れたカメラ、斜めになった棚、汚れたCD、作者不詳の油彩画1ダースなど。それらが塊となり、誰かの家をひっくり返したみたいにどこまでも続いている。

写真を回収し始めたきっかけは、不用品回収業者や産廃業者らによって日々回収されているゴミの中におびただしい数の写真が含まれており、引き取り手もなく捨てられているという話を聞いたことだった。その実情を確かめるべく業者を取材してみたところ、現場では「売れる写真」と「売れない写真」が選別されており、前者は蚤の市やインターネットなどの市場に出され、後者はゴミとして捨てられていることがわかった。

気になったのは、そうした業者の多くがマイノリティの人々だったということだ。とくに親しくなったのは北関東に住むカメルーン出身のEさんで、プライベートでも連絡をとり合う仲になった。Eさんの暮らしぶりを知るにつれて、そうした写真がまさに社会の「周縁」において日々ストックされていることがわかり、それは写真を集めている彼・彼女ら自身の「周縁」的な生き方とも重なって見えた。

2

こうした写真に共通しているのは、家族写真としても売り物としても何かが決定的に欠けているということだ。現代アートの領域では、持ち主不在の写真をアーティストが編集して「作品」に仕立てるというケースがある。しかしこれらの写真を見ていると、そうした営みほど白々しいものはないなと思う。そう考えるようになったのは、とある業者の倉庫を初めて訪問したときにある光景を目撃したからだった。

業者の運転する軽バンに先導されてたどり着いた倉庫は、外から見るとごく普通の一軒家にしか見えなかった。しかし中に入ってみると、空間のそこかしこに複数の業者がかき集めてきた物が山積みにされている。民家というロケーションも相まって、ほとんどゴミ屋敷にしか見えない。その片隅に、うず高く積まれた写真の山があった。家族の愛情からも資本主義の欲望からも見放された写真の山は、社会の全方位に向けて不満を漏らす呪われた記念碑のように見えた。

3

2020年3月に発売された雑誌『広告』Vol. 414（特集：著作）にアートワークを提供した。タイトルは《One Million Seeings》。このアートワークは、19年に制作した同名の映像作品をもとにつくられたものだ。24時間かけて「行き場のない写真」を見届ける様子を記録した映像で、「行き場のない写真」の「行き場」をつくるための試みである。一度は不要とされた写真がふたたび人目に晒されることによって、写真をめぐる親密圏が持ち主のもとから、出演者のもとへ、そして鑑賞者のもとへとこだまする構造となっている。

「写真との関係性が結ばれるまで見る」というレギュレーションのもと、自身と写真の間になんらかの関係性を見出そうとしているため、1枚1枚を眺める時間は長く重たい。それとともに、本作は「写真に向けられた最後のまなざし」をパフォーマー／鑑賞者が追認することも目指している。その追認を印刷物にも展開しようとしたのが、このアートワークの試みだ。

24時間ある映像から52枚の静止画を切り出し、誌面全体に展開したのに加えて、前後の見返し用にそれぞれ写真を撮り下ろした。この見返しの撮り下ろし写真は、業者の倉庫で目撃した光景を再現するイメージで、「誰にも見られていない写真の山」を朝と夜にタイマーで無人撮影したものだ。

ここで触れておくべきポイントは、この作品内で扱っている（見ている）ものが「写真」であるということだ。

4

そもそも、なぜ写真なのだろう?

「写真と著作」というテーマで考えてみると、写真ほどややこしい存在はないように思われる。その象徴的な作例が、マールボロの広告を再撮影したリチャード・プリンスの「Untitled (cowboy)」シリーズだ。こうした手法は、現代アートの領域では「アプロプリエーション」と呼ばれており、既存の素材を引用の範疇を超えてとり込み、自らの表現として再文脈化する点にその特徴がある。プリンス以外にも、ウォーカー・エヴァンスの写真作品を複写して発表したシェリー・レヴィーンの《アフター・ウォーカー・エヴァンス》などもよく知られた事例であるだろう。

これらの作品は共通して写真を用いている。なぜなら、望む/望まないにかかわらず、写真には既存の何かを「写し込む」という側面があるからだ。日本でも2002年に雪月花事件という裁判があり、照明器具のカタログに掲載された写真に書の作品が「写り込んでいる」として、書家とメーカーの間で裁判になったことがあった(判決は無罪)。

こうした写真の特性については、日本のアーティストもこれまで盛んにテーマ化しており、1960年代から70年代にかけてその傾向はピークに達した。その顕著な作例は、美術家の高松次郎による「写真の写真」シリーズだ。これは、その名の通り「写真を撮った写真」のシリーズで、あいまいな写真の入れ子構造を利用しながら、それぞれの写真が語る「物語」を脱臭するかのごとく、鑑賞者の視線を印画紙の表面へと仕向けようとしている。「写真によって写真の写真らしさを明らかにする」という自己言及性は、現代アートとしてはいかにも「正しい」問題設定だが、個人的にはその自己言及の過程で、写真にまつわる情念（いかがわしさ）が失われてしまっているように感じ、それをとり戻すことに課題があると感じていた。

5

ぼくにとって写真は、忘却したくても忘却できない情念のようなものに近い。先ほど、業者の倉庫で写真の山と邂逅したときの印象を「呪われた記念碑」と書いたが、その「何か」は、触れることすら間違っているタブーのようなものだという実感がある。もしかすると、ゴミ同然に打ち捨てられた写真を引き取ることも光を当てることも「間違っている」のかもしれない。それでもなお、なぜだかそれを無視することができない。

あるときスタジオで写真の山を整理していたところ、同一人物の写真が大量に見つかったことがあった。最終的には、その人のあらゆる年代の写真が数千枚規模で見つかり、思いがけずその人の一生を追体験することになった。恐ろしいのはその数日後、夢にその人が登場してきたことだ。夢の中でその人は旧知の知り合いのように振る舞っていたけれど、翌朝振り返ってみると、そういえば最後まで「声」を聞くことはなかったことに気がついた――と書いていてつくづく思うが、こうしたエピソードはとても「重い」。その一方で、冒頭で写真の「重さ」について書いたことを思い出してほしい。この2つの「重さ」にはどんな関係があるのだろうか？

6

先ほど、《One Million Seeings》は24時間にわたり写真を見続けた作品であると書いたが、実のところ「写真を見る」作業はとても疲れる。それもただ網膜に映すのではなく、きちんと1枚1枚に感情を向ける作業が何よりも疲れるのだ。なぜそのような試みをしたかというと、写真の情念と向き合うために、その「重さ」に寄り添うこと、つまり身体的な負荷が必要になってくると考えたからだった。「重さ」は、頭で理解するものではなく身体で体感するものだ。そこで、まずはその「重さ」を体感できるアートワークをつくりたいと考えた。

『広告』編集長の小野直紀さんや3名のデザイナー（上西祐理さん、加瀬透さん、牧寿次郎さん）と集まり、何度も言葉を交わした。「著作」というテーマについて、編集者やデザイナーという「手を動かす立場」からフィードバックを受けとることができたおかげで、読者に「紙をめくってもらう」という鑑賞の形態にたどり着くことができた。その詳しい内容は、以下のようなものだった。

まず、雑誌の判型が縦位置であるのに対して、アートワークは横位置でレイアウトされている。誌面をめくろうとすると、利き手の親指と人差し指でつまむような形でページをつまむ格好となり、めくったページの裏面にビジュアル面がくることになる。

これは、読者が能動的に紙をつまみ・めくることによって、ビジュアルを出現させたいと考えて導入したレイアウトだった。通常の本では、紙をめくって見えてくるのは、実際に指が触れていない方の頁（奇数頁）になる。しかしこのアートワークでは、実際に指が触れている方の頁（偶数頁）にビジュアルを印刷することによって、読者自らが「写真を見ている写真」の当事者（つまり「見ている本人」）になってもらいたいと考えた。

頁割も、本文の折と折の間に8頁ずつの間隔でビジュアルを配置することにした。それによって、本文のタイムラインとは異なるタイムラインが（忘れていたころに）さしはさまってくる仕掛けにし、「忘れたくても忘れられない（＝向こう側からやってくる）」写真の情念を誌面に変換しようとしている。

そして最初と最後の見返しには、見開きのレイアウトで「誰にも見られていない写真の山」を朝と夜にタイマー撮影したものを配置した。先ほども書いた通り、これは業者の倉庫に眠っていた写真の山を再現している。

この2つのイメージ（朝と夜）の間にある、１０４頁にもおよぶ「写真を見ている写真」は、始まりが午前10時32分のもので、終わりが翌日の午前10時35分のものである。つまり約24時間分あり、全体を一巡することで冒頭にループする仕掛けになっている。ここにも写真の情念が再帰してくる仕掛けを盛り込んだ。以上がアートワーク《One Million Seeings》の解説である。

7

写真を車で運んだり、スタジオで整理したりしているとき、ふと脳裏に浮かんでしまう情景がある。それは、高速道路を走行中に軽トラの荷台の幌が外れ、道路に大量の写真が撒き散らされるという情景だ。写真に刻印された膨大な瞬間瞬間が高速道路の上にひらひらと舞い上がり、その何枚かは後続車のフロントガラスに張りついて、運転手は度胆を抜かれてしまうだろう。

また別の情景は、スタジオの床が抜けてしまうというものだ。先述したように、写真が一杯に詰まった箱は案外と重たい。スタジオには、いまもなおそんな箱が何十箱も積み上げられており、その重みに耐えきれなくなった床が突如として轟音を立てて崩れ落ちる。階下の空間は即座に舞い上がる写真で一杯になってしまうだろう。

これから数十年後には、ぼくが集めた写真の山は再び持ち主を失ってしまっているかもしれない。これらの写真の大半はありふれた記念写真に過ぎず、個々で見たときにはさしたる価値もないため、もはや引き取り手も存在しない。写真は再び廃棄業者の手にわたり、やがてほかの粗大ゴミとともに焼却炉に送られてしまうだろう。

こうした情景が「想起」されてしまう写真の群れから、そのあらゆる意味での「重さ」とともに、感情移入を誘う記憶でも価値のある情報でもなく、ただひたすら重みのある情念だけを摘出してみたい。

第二部

アンリアルな風景

イントロダクション

このテキストは、技術的な新規性が注目されやすいＣＧ（コンピューター・グラフィックス）に対して、そのメディア固有の表現についての考察、すなわちＣＧの表現論を立ち上げることを目的としている。その背景には、アーティストとして活動している筆者が、２０２１年に初めてＣＧアニメーション／ナレーション・パフォーマンス作品の《Waiting for》［図１］を制作・発表したことがある。

このテキストの内容は、同作の制作過程で書き溜めたノートがベースになっているが、その性質上、ときには飛躍のある論理展開も見られるかもしれない。しかし、まだ見ぬＣＧ表現論の素地を整えるためにも、そうした飛躍もある程度は必要だと判断している。まずは、《Waiting for》の概要を説明することから始めよう。

全編が３ＤＣＧから成るこの作品は、１００万年前、もしくは１００万年後の地球をイメージした３つの空間で構成されている。それぞれの空間はオープンワールドゲームのようにどこまでも広がり、その広大な空間の中を仮想カメラが動き回ることで、アニメーションが撮影されている。映像のうえには、2万464種の動物の俗名を読み上げるナレーションが重ねられている。この数は、現在地球上に生息している動物の（筆者が確認できた限りの）全種数[1]であり、すべて読み終えるのに必要になった33時間19分にわたり、筆者自身がほとんどノンストップで朗読した。したがって、作品全体の長さも33時間19分となっており、3DCG作品としてはあまり類例のない長編作品となっている。

なぜ、このような構成をとることにしたのか。そのわけとしては、作品の制作過程で直面したいくつかの課題に応えていく中で、半ば必然的にこの構成に落ち着いたからだということができる。それでは、作品の制作過程で直面した課題とは何だったのか。それはひとことでいえば、事物のビジュアライゼーション（可視化）に特化した3DCGというメディアに、いかにしてリアリティ（実在感）をもたらすかということにまつわる課題だった。

図1：原田裕規《Waiting for》（2021年）

したがって、このテキストの骨組みには、ビジュアライゼーション（可視化）とリアライゼーション（実在化）という2つの概念が横たわることになる。ちなみにCGというカテゴリー自体はとても広大で、全体の見取り図を描くことも容易ではないが、本論では、とりわけ人間の空間認識にかかわるCG表現に着目している。

ビジュアライゼーション／リアライゼーション

まずは大きなスケールの話から始めてみたい。２０１１年に出版され、世界的ベストセラーとなったユヴァル・ノア・ハラリの『サピエンス全史』は、約７万年前に起こった「認知革命」にスポットを当てた書籍だった。

かつて地球には、私たちホモ・サピエンスのほかにも、ネアンデルタール人やホモ・エレクトスなどの多様な「人類」が存在していた。しかし、ホモ・サピエンスのみが経験した認知革命によって、私たちの祖先はまたたく間にほかの人類を「大量虐殺」し、地球上から絶滅させてしまったという。いまのところ、この革命がなぜ起こったのかは明らかになっていない。しかし、この革命が可能にしたことはある程度明らかにされている。それは「虚構の発明」と呼ばれる出来事だった。

認知革命以前のホモ・サピエンスは、集団で行動する場合でも、最大で１５０人程度のグループを形成するのが限界とされていた。この「１５０」という数字は、実際に互いに顔を合わせ、連帯することが可能な人数のことである。

しかし「虚構」という概念が生まれたことによって、ホモ・サピエンスは何千、何万もの人間から成る巨大なグループを形成できるようになった。「神」という虚構のもと、あるいは「国家」という虚構のもとに、実際に顔を見たこともない人々が連帯できるようになったのだ。この本でいわれている「虚構」とは、自然崇拝などのプリミティブなものから、宗教、国家、貨幣といった文明的なものまでを含んでいる。人々が規律的に行動するための社会システム全般とでもいうべき幅広い概念であるだろう。

そして、ここから本論の議論がスタートすることになる。まず、私たちの祖先はどのようにして、何千、何万もの人々と虚構を共有することができたのだろうか？

最初に思い浮かぶ手段は口頭伝承である。話し言葉によるコミュニケーションには何の道具も要らず、身体ひとつでおこなうことができる。さらに、目に見えないもの（＝見たことがないもの）を想像力で補い伝えることも可能だ。それゆえ表現の幅が広く、世界中に口承による神話や伝説が存在することになった。デメリットは、対面でのコミュニケーションが基本になるため、大勢の人々に情報を伝達することが難しいことだろう。

それに対して、絵や記号などを用いたコミュニケーションも存在している。表意文字など、元来文字は絵と不可分なものでもあったため、広義の「書き言葉」とすることができる。木片や石版など、何らかのメディアを必要とするが、それによって特定の時間や空間を超えて多くの人々に伝達できるという利点がある。

なぜ、CGを語るうえでこうした話が関係してくるのだろうか？

まず前提として、人はCGを見ること（＝視覚）以外で知覚することができない。ごく当然の事実だが、CGは聴くこと（＝聴覚）も触れること（＝触覚）も嗅ぐこと（＝嗅覚）も味わうこと（＝味覚）もできない。加えて、CGが視覚に特化したメディアであるということは、CGが非物質的なメディアであることも意味する。たとえば、油彩画は視覚芸術でありながら、キャンバスや絵の具という物質をともなうため、実際には表面の質感も匂いも味もある。とくに触覚的な情報は見るだけでもある程度わかるため、表面の質感をつくり込むことも油彩画にとっては重要な要素になっている。それに対してCGは物質をともなわないため、触ることができないビジュアライゼーション（可視化）に特化したメディアであるといえるのだ。

また、次のようにいい換えることもできる。CGと人間の間には、つねに一定以上の距離が存在している、と。先述したように、CGが非物質的なメディアであることは、私たちがCGに触れられないことを意味する。「触れる」ということは、身体と対象の距離がなくなるということだ。もちろん、モニターやスクリーンに触れることはできるが、それは「CGに触れること」ではない。むしろそれらに触れれば触れるほど、CGとの間には絶対的な距離が存在していることがわかるだろう。

したがってCGは、ビジュアライゼーションに特化した「遠くにあるメディア」であるということができる。こうした特徴は、いかにしてCGに「触れているかのような感覚」、すなわち実在感（リアリティ）を帯びさせるかという課題を生み出すことになった。以上のことから、このテキストでは次のような図式に沿って議論を進めていくことにする。

まず、人間にとって書き言葉的なコミュニケーションは、目に見える像（ビジュアル）を生み出すことから発展し、その極致として、CGというビジュアライゼーションに特化したメディアに連なる道筋を出現させた。

それに対置されるのが、リアライゼーション（実在化）という概念である。書き言葉の対極にある話し言葉的なコミュニケーションは、目に見える形をともなわない代わりに、非視覚的な伝達方法を発展させることになった。人間にとって、目に見えない感覚のひとつがリアリティ（実在感）であり、これを生み出す行為を「リアライゼーション」と呼ぶことにする。

以上、ビジュアライゼーション／リアライゼーションという図式を簡潔に整理してみた。とはいえ、視覚芸術としての油彩画に触覚的な情報が含まれているように、現実に存在するメディアのほとんどは、このふたつの要素を物理的／観念的なレベルで両立させている。それでは、ビジュアライゼーションに特化したCGが内包しうるリアリティとはいかなるものなのか、その具体例を見ていくことにしよう。

ビジュアライゼーション

「弾痕ギミック」の衝撃

1998年に発売されたゲーム『バイオハザード2』（CAPCOM）で、キャラクターが画面に向けて発砲すると、ガラスが割れる音とともに画面に弾痕が映し出されるという演出があった［図2］。子どものころ、この「弾痕ギミック」に衝撃を受けたことを覚えている。当時のゲームのCGは、いまから見るととてもリアル（写実的）には見えないものだ。しかし当時にあってそのギミックには、ゾンビの闊歩するゲームの世界をテレビ中継越しに見ているかのようなリアリティ（実在感）があった。

CGの歴史の中には、あるビジュアルを「それらしく見せる技術」がさまざまなかたちで存在している。そしてこの技術は、視覚的な再現性の高低とは必ずしも比例していない。たとえば、弾痕CGとともに「バリン」とガラスの割れる音が鳴っていたことは重要である。なぜならこの音は、ゲーム内の空間（虚構）からではなく、ゲーム外の空間（現実）から鳴っている音とみなされるものだからだ。これは弾痕CGと組み合わせられることで、ゲームの世界を現実の世界と地続きに感じさせる技術である。ビジュアライゼーションのメディアにリアリティを付与する技術、これを「リアライゼーションの技術」と呼んでみよう。

これと同列にある効果として、CGにおける手ブレやモーションブラー（動いている対象を撮影した際に発生するブレ）などの「カメラ効果」が存在する。カメラ効果は、それが現実のカメラによって撮影された「実在の映像」であることを強調するためのギミックだ。昨今では、B級映画やゲームセンターなどで頻繁に用いられている。弾痕ギミックと同様の「リアライゼーションの技術」であるが、露骨であったり使い古されたりした場合、こうした技術はすぐに陳腐化してしまう。ある技術が確立されることは、その技術がコストダウンすることを意味するからだ。B級映画に見られるチープなCGでカメラ効果が多用されるのは、それを導入するコストが低いからにほかならない。

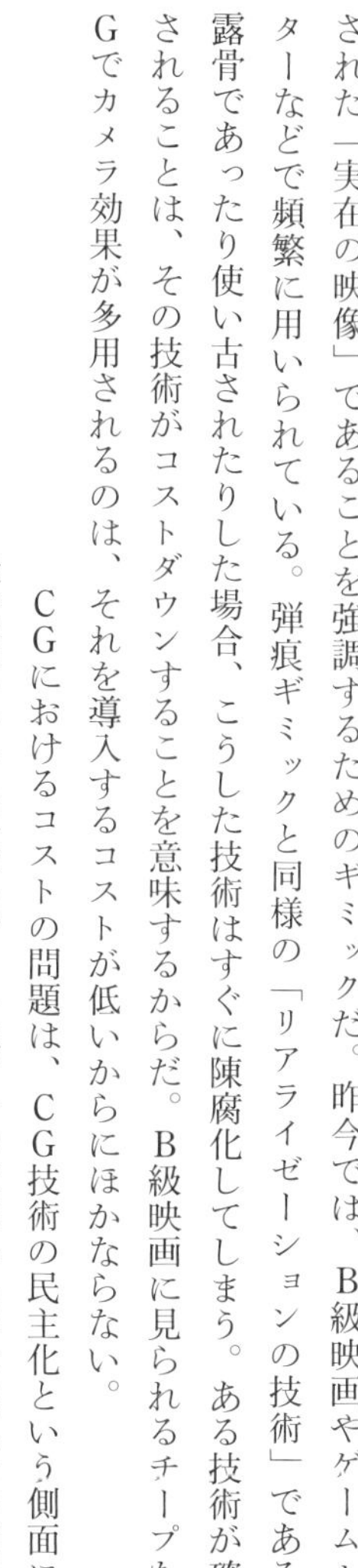

図2:『バイオハザード2』の「弾痕ギミック」（『バイオハザード2オフィシャルガイドブック』（スタジオベントスタッフ、カプコン、1998年）© CAPCOM CO., LTD. ALL RIGHTS RESERVED.

CGにおけるコストの問題は、CG技術の民主化という側面にも光を当てることになる。CGは、その誕生から半世紀以上の歴史を有しているにもかかわらず、これまで長期にわたって「新しい技術」であるとされてきた。その背景にあったのは、一部の専門家たちによる技術の占有だ。

CGの起源のひとつは、1958年にジョン・ウィットニー・シニアが制作した曼荼羅模様にあったと考えられている。そのCGは、ジャンクショップで売られていた軍用のアナログ・コンピューターを改造した装置が描き出したものだった。映画監督のアルフレッド・ヒッチコックが、映画『めまい』（1958年）〔図3〕や『サイコ』（1960年）のオープニングにこの装置を用いたことにより、それは一挙に知れわたることになる。

そして1960年代に入ると、世界各地でコンピューター・アートのブームが巻き起こった。そのきっかけになったのは、雑誌『Computers and Automation』でコンピューター・アートのコンテストがおこなわれたことだった。これを機に、世界中の研究者やアーティストがCG制作に取り組むようになる。68年には、ICAロンドンで世界初のコンピューター・アート展「Cybernetic Serendipity」も開催されている。

日本でもこれと同期した動きが見られた。1969年、銀座ソニービルで「国際サイテックアート展　エレクトロマジカ'69」が開催されたのだ。さらに70年代になると、同会場で「国際コンピュータ・アート展」が毎年開催されるようになる。こうした展覧会には、幸村真佐男や山口勝弘など、いまや重鎮とされるメディア・アーティストが多数参加していた。このように、60年代後半に巻き起こった「コンピューター・アート」旋風は、CGの民主化前夜とでもいうべき盛り上がりを見せたのだった。

それに対して現代のアーティストは、当時とは異なる態度でCGに向き合っている。その最大の違いは、制作における技術環境だ。従来、CG制作のソフトウェアは個人には手の届かない高価なものばかりだった。「コンピューター・アート」のブーム時にも、その担い手になれたのはごく一部の人々だ。そのためCGは、技術の新しさを競うかたちで縦軸に深化（＝専門化）していった。アートの文脈ではCGが「メディア・アート」の枠に閉じ込められたのも、CGがこれまで技術の新しさにばかり注目されてきたことに起因している。

しかし、パーソナル・コンピューターの普及とともにその風向きが変わり始めた。1995年発売のWindows 95以降、PCはひとり1台の時代になり、個人がペイントソフトでドット絵などの単純なCGを制作できるようになる。また Photoshop も、90年に最初のバージョンが発売され、徐々に普及していくことになった。

こうしたCGの横軸への広がり（＝民主化）は、2000年代に入ると3DCGの世界にも浸透していった。02年に3Dモデリングソフトの Blender がオープンソースでの提供を開始し、05年には「ゲーム開発の民主化」を掲げたゲームエンジンの Unity もオープンソース化した。さらに10年後には、Unity と競合する Unreal Engine も無償提供を開始している。

このような動きが示すのは、CGが「新しい技術」として一部の人々に占有されるモードから、「ありふれた技術」として多くの人々に共有されるモードへと変化していったことだ。先に述べた「陳腐化」も、この動きの中で捉えられる現象だろう。それでは、CGを取り巻く人々の

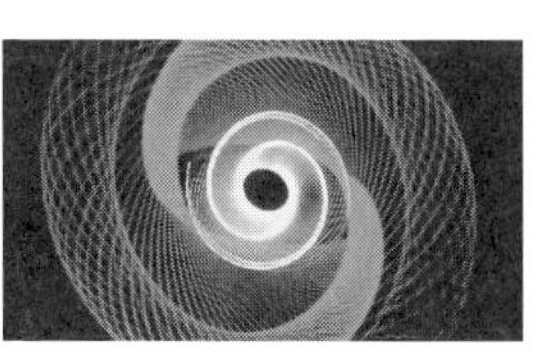

図3：アルフレッド・ヒッチコック『めまい』（1958年）のオープニングに使用された、ジョン・ウィットニー・シニアによる曼荼羅模様（「DIGITAL Archaeology」ウェブサイト）

態度の変化は、表現にどのような影響をおよぼしたのだろうか？

レンダリング・ポルノの登場

ドイツの出版社ゲシュタルテンから、２０２０年に『Dreamscapes & Artificial Architecture（夢の光景と空想建築）』という作品集が刊行された。この本には、建築家やインテリアデザイナーたちが「完成予想図」をビジュアライズするために使用する技術で制作された３ＤＣＧが多数収録されている。この本が一般的なインテリアカタログと異なるのは、その書名に見てとれるように、現実には存在しないユートピア的なイメージが集められていることだ［図４］。

ＣＧがまだ「新しい技術」だった時代、「リアライゼーションの技術」はできるだけさりげなく、人に気づかれないように用いられていた。人はＣＧを見る際、それがＣＧであると「気づかないこと」に対して感嘆するのだった。カメラ効果のように、それがつくりものであると鑑賞者が気がつくことは、その効果を陳腐に思わせることに結びつくからだ。しかしＣＧが「ありふれた技術」へと変化していく中で、「リアライゼーションの技術」は、これまでとは反対に自らを「ひけらかす」方向へと進化していった。

『Dreamscapes & Artificial Architecture』に収められた超現実的なCGは、2020年ごろから「レンダリング・ポルノ」という言葉で呼ばれ始めた。[2]その特徴は、一見すると写真と見紛うほどにフォトリアルなイメージでありながら、いずれも決して現実には存在しない架空の光景であること、そして、時が止まったかのような静寂感、現実世界を襲う諸問題——とりわけ、気候変動など——は一切存在しないかのような安心感、さらには、人間からウイルスまでを含むあらゆる生物の不在感（＝無菌室感）などが指摘される。[3]

レンダリング・ポルノという名前は、これらのCGが、ハイスペックなレンダリング・エンジンで書き出されたCGI（コンピューター生成画像）であることに由来するものだ。そして「ポルノ」というワードは、近年のCGがまとう「ある性質」を端的に示している。

その性質とは、レンダリング・ポルノが共有する自嘲的なニュアンスのことである。レンダリング・ポルノは、自らが視覚的な戯れであること（＝つくられたCGであること）を決して隠そうとはしない。むしろ、鑑賞者が「それがCGであること」に気がつくような仕掛け（あまりにも美しい光線や宙に浮いた家具など）をわざと多用している。現実にはありえないほど「できすぎている」のだ。

そのできすぎたビジュアルを前にすると、人々は感嘆（＝思考停止）する

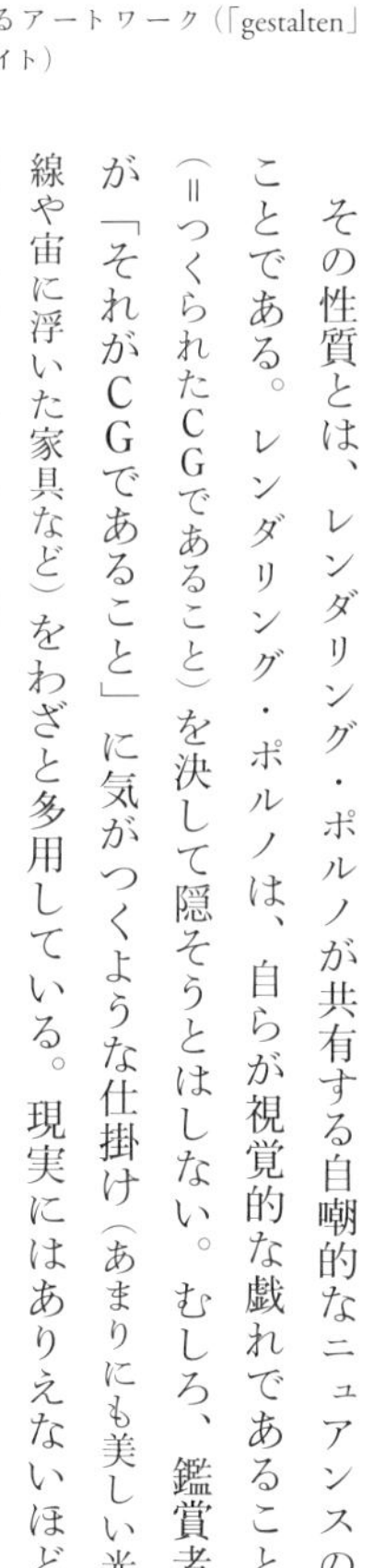

図4：『Dreamscapes & Artificial Architecture』に掲載されているYambo Studioによるアートワーク（「gestalten」ウェブサイト）

のではなく、現実との差異から、CGというメディアの特性（メディウム・スペシフィティ）を実感し、まるでCGに「触れている」かのように感じる。すなわち、レンダリング・ポルノの自嘲的な振る舞いは、非物質的なメディアであるCGに対して、ある種の実在感を与えているのだ。

弾痕ギミックやカメラ効果がCGを「現実のもの」と思わせる（＝騙す）ものだったのに対して、レンダリング・ポルノは、CGを「非現実のもの」だと思わせる（＝自白する）特徴がある。その点で、レンダリング・ポルノは、よりCGの本質に寄り添った表現であるといえるのだ。

さらに興味深いのは「レンダリング・ポルノ」というワードに明確な参照元が存在することである。2010年代初頭、Tumblrで「キャビン・ポルノ」と呼ばれるトレンドが生まれた［図5］。それは、山小屋でのノスタルジックな生活に対する非現実的な憧れを具現化したもので、レンダリング・ポルノと同じく、現実の問題に対して責任を放棄した戯れに興じる背徳的な快楽をともなっていた。

山小屋（＝ユートピア）でのノスタルジーをそのまま享受するという快楽は、キャビン・ポルノにやや先行して、テレビ文化にも登場していた。「スローテレビ」と呼ばれるノルウェーのテレビ番組のジャンルである。もっとも有名なスローテレビは、8時間にわたって暖炉の薪が燃えるシーンを放映し続けた「Nasjonal vedkveld」（NRK）［図6］だ。淡々と映し出される暖炉の映像は、キャビン・ポルノと同じく、楽園的なスローライフに対する浮世離れした憧れを具現化したものである。

ノルウェーにおけるスローテレビの始まりは、2009年に見出すことができる。この年に放送が始まった鉄道番組で、ノルウェーのベルゲン急行の車窓から見える風景が7時間にわたってノンストップで放送されたのだ。ナレーションやストーリーがまったくないにもかかわらず、ノルウェー国民の4人にひとりが視聴するほどの人気番組になった。

その続編として、2011年には134時間(5日半)にわたって北極海の船旅をノンストップで生放送するテレビ番組が放送され、視聴率50パーセントという驚異の数字を記録している。先に述べた「暖炉」は、こうした番組の延長線上に位置づけられるものだ。「暖炉」が放映された13年には、ノルウェー語で「スローテレビ」を意味する「Sakte-tv」が同国の流行語大賞を受賞するまでに至っている。

図5:Tumblrに投稿された「キャビン・ポルノ」の画像(「cabin-porn」のTumblrページ)

図6:「Nasjonal vedkveld」(2013年、「NRK」ウェブサイト)

ただし、スローテレビというアイデア自体はノルウェー発のものではない。眠る男が5時間20分にわたって映し出されたアンディ・ウォーホルの映像作品《スリープ》（1963年）や、8時間にわたってエンパイア・ステート・ビルが定点観測された《エンパイア》（1964年）などにその雛型が見出される。

そして、レンダリング・ポルノ〜キャビン・ポルノ〜スローテレビの流れを確認することで見えてくるものがある。そこには、ある共通した時間性が存在するのだ。先ほど、レンダリング・ポルノには「時が止まったかのような静寂感」が指摘されていると述べた。この時間感覚は、CGとリアライゼーションの関係性において、なぜクローズアップされるようになったのだろうか？

Six N. Five が描くアンリアルな風景

レンダリング・ポルノの作品は、2021年時点で、Instagram に日々数え切れないほど投稿されている。中でも、着目すべきは14年にバルセロナで設立されたデザインスタジオ、Six N. Five の公式アカウント（@sixnfive）だ。フォロワー数は30万を超える人気のアカウントとなっている。

Six N. Five は、広告や映像などのコミッションワークを中心に活動しながら、実験的なアートワークも制作している。クライアントには、アップル、バーバリー、カルティエ、フェイスブック、マイクロソフトなどの錚々たる大企業やブランドが並ぶ。そして、先に述べた『Dreamscapes & Artificial Architecture』に作品が掲載されたスタジオでもあった。

2019年以降、Six N. Five はマイクロソフト・サーフェスの公式壁紙として《サーフェス・ウォールペーパー》〔図8〕を発表している。「時が止まったかのような静寂感」を特徴とするレンダリング・ポルノは、これまでにしばしばデスクトップの「壁紙」にたとえられてきた。それがここにきて、マイクロソフトの正式な「壁紙」に採用されたという点で《サーフェス・ウォール・ペーパー》は画期的な作品であるといえるだろう。

図8：Six N. Five
《サーフェス・ウォールペーパー》
（2019年–、「Six N. Five」ウェブサイト）

そのビジュアルは、先述したレンダリング・ポルノの特徴——時が止まったかのような静寂感、安心感、無菌室感など——を忠実に受け継いでいる。デジタル画像は、たとえ静止画であっても、肉眼では認識できない頻度で明滅を繰り返しており、静止画と動画の区別が自明ではない。[4] 一見すると静止しているように見えるデジタル画像が、実は長い時間をかけてゆっくり変化していたとしても、私たちはそのことに気がつかないかもしれない。たとえば、アップルの macOS Mojave（2018年）に実装された「ダイナミックデスクトップ」〔図9〕は、壁紙の風景が現実の時間に同期し、朝から夜へとゆっくり移り変わっていく機能だった。静止画と動画の中間にあるかのようなイメージである。

このようなデジタル画像の非静止性を表現の武器にしたのが、レンダリング・ポルノだった。デジタル画像が「ゆっくり動いているように見える」ということは、そこに悠久の時間性が見出されることを意味する。この長大な時間性は、先行するスローテレビにおいて、人々が暖炉の映像を飽きることなく眺め続けているときに受け取る感覚に通じている。

アップルがCGの時間性に言及するような「ダイナミックデスクトップ」をリリースした翌年、マイクロソフトが「ゆっくり動いているように見える」CGのメディウム・スペシフィティを強調したレンダリング・ポルノを公式壁紙に採用したという端的な事実を、マイクロソフトからアップルへの応答であるとすることは考え過ぎだろうか。

さらに、この「ゆっくり動いているように見える」感覚は、CGの空間性に置き換えて考えることもできる。先ほど、CGは不可避的に「一定以上の距離」を含んでしまうと述べた。触れたくても触れることのできないCGというメディアの特性（メディウム・スペシフィティ）は、CGの空間が現実の空間から切り離されていることを物理的にいい換えている。

この「埋められない距離」は、《サーフェス・ウォールペーパー》でも意識されていた。この作品からは、現実の地名に結びつく一切の「しるし」が周到に排除されているからだ。フォトリアルな再現性によって、見る人に「どこかにありそう」と感じさせながらも、決して具体的な「どこか」に結びつく「しるし」がないため、必然的に「距離＝遠さ」の感覚が強調される。それは、どこかにありそうだが、決してどこにもない風景として認識されるものだ。過剰にリアルであることで違和感を生み出し、自らのリアルさを自ら否定（un-）する風景——これを「アンリアルな風景」と名づけてみたい。

「アンリアルな風景」の距離感は、レンダリング・ポルノにおける「宛先の問題」にも光を当てることになる。まずこの距離の感覚は、アンリアルな風景が「写真以上に写真らしいこと」、つまり「映える（＝フォトジェニックな）」ものであることに起因している。

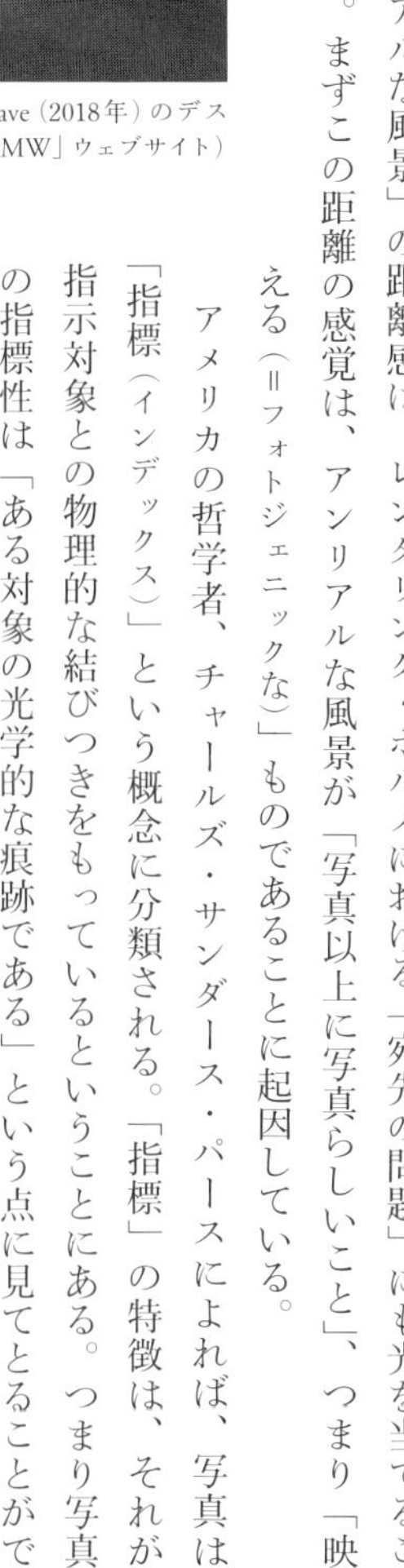

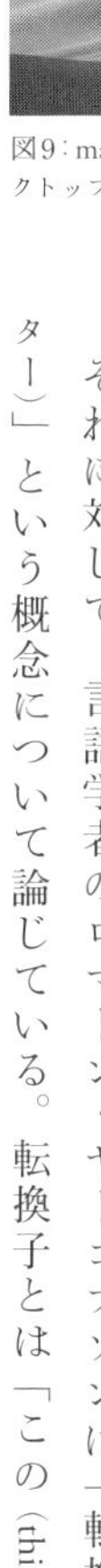

図9：macOS Mojave（2018年）のデスクトップ画面（「AMW」ウェブサイト）

アメリカの哲学者、チャールズ・サンダース・パースによれば、写真は「指標（インデックス）」という概念に分類される。「指標」の特徴は、それが指示対象との物理的な結びつきをもっているということにある。つまり写真の指標性は「ある対象の光学的な痕跡である」という点に見てとることができるというわけだ。

それに対して、言語学者のローマン・ヤーコブソンは「転換子（シフター）」という概念について論じている。転換子とは「この（this）」「あの

（that）」「私（I）」「あなた（you）」といった、発話時の文脈によってその指示対象を変える／それ自体では意味を成さない「空虚な記号」である。

美術批評家のロザリンド・クラウスは、一連の「指標」と「転換子」にまつわる議論を引用し、写真について次のように述べている。それによると、「この」や「あの」といった転換子は、第一には象徴記号（シンボル）として存在するが、それが具体的な指示対象（この「椅子」、あの「机」）と結びつくことによって、指標化することになる。[5] クラウスはこの見立てを同時代のアートに当てはめるかたちで、「多元化」が叫ばれていた１９７０年代のアートに共通する指標的性質を論じたのだった。

この議論を思い起こせば、「アンリアルな風景」は、クラウスの指標論を更新する「写真的状況」を生み出していることがわかる。写真が「あの」や「この」という転換子と結びつくことで、具体的な指示対象を示す「指標」として機能していたのに対して、「アンリアルな風景」においては、それがきわめて写真的なイメージであるにもかかわらず、「あの」や「この」と結びつく指示対象が周到に排除されているのだ。

つまり、レンダリング・ポルノにおける「遠さ」の感覚は、それが一見すると指標的なもの（＝写真）に見えながら、それにもかかわらず、指示対象を失った「空虚な記号」（＝ＣＧ）であることを自己言及的に強調していることに起因する。そして、このＣＧにおける「遠さ」の感覚に注目し、そこに立ち上がる空間性を表現したアーティストがいた。

サム・ヘインズと虚空間

サム・ヘインズは、１９９１年にメルボルンで生まれたアーティストである。母親のジェーン・バドラーは、ニューヨーク出身の女優・歌手であり、数多くのドラマや映画に出演している。祖父のデイビッド・ヘインズは、オーストラリア最大のヘッジファンドを運用する実業家で、資産額は推定24億８０００万ドル、２０１６年にオーストラリア14位の富豪にランクインしたほどの人物だ。一見すると何不自由ない家庭に生まれたサムであるが、彼は架空の人物「サミュエル・ダビデ」をめぐる炎上事件をきっかけに初めて世に知られることになった。

サミュエル・ダビデは、２０１６年に『Age』誌のストリートファッションを紹介するコーナーに突如として登場した。その奇抜なファッション――「東京のヴィンテージショップで見つけたオーバーオール」「大好きなおじさんからもらったベレー帽」「黒のタートルネック」など――がネットで話題となる[6]と、マスメディアで「もっともメルボルンな男性」としてもてはやされるようになった。しかし、のちにこれがフリーライターのタラ・ケニーとヘインズが考案した架空の人物であったことが暴露されてしまう。

その結果、ケニーは『Age』誌での仕事を失い、ダビデに扮していたヘインズも謝罪を余儀なくされることになった。しかしこの「イタズラ」について、ヘインズは単なる悪ふざけではなく、個人のイメージがマスメディア上でどのように流通し、人生が決定していくのかを探るための試みであったとも語っている。その関心の背景には、著名人の一家に生まれたヘインズの出自も少なからず影響していたのかもしれない。

そんなヘインズの作品シリーズ「ゼロ・ライク（Zero Likes）」（２０１７年）［図10］は、サミュエル・ダビデ事件の翌年に制作・発表された。このシリーズは、Instagramで流通する10万枚以上の「いいね（Like）」がついていない画像」を自動的に解析し生成されたものだ。

インターネット上に「いいね」のない画像（Zero Likes）が大量に流通しているということは、ネット空間に人間が誰もアクセスしていない空間が無数に存在していることを示唆する。「ゼロ・ライク」は、こうした空間そのものを主題に、ＡＩを用いて自動生成されたCG作品だったのだ。

現実に人間が存在している実空間に対して、誰ひとりとして人間の存在しない空間は、虚空間とでもいうべきものだろう。この「誰ひとりとして人間の存在しない」感覚は、レンダリング・ポルノの特徴のひとつである、生物の不在感（＝無菌室感）にも通じている。なるほど、物理的な存在である人間と虚空間の間には、必ず一定以上の距離が存在する。つまり「ゼロ・ライク」もまた、CGに内在する「埋められない距離」に言及する作品であるといえるのだ。

こうした虚空間は、これまでには主にホラーコンテンツの主題として扱われていた。デジタル空間には、人知を超えた霊的なものが漂っており、それがビデオテープ（『リング』１９９８年）や携帯電話

(『着信アリ』2003年)などのデジタルメディアを介して、人間の前に実在化(リアライゼーション)する。それに対して「ゼロ・ライク」は、虚空間を「恐怖」という紋切り型から解放しようとする作品でもあった。

この「虚空間」という言葉は、現代アートの文脈を想起させる側面ももつ。1922年生まれの美術家・松澤有(ゆたか)は、下諏訪にあった自宅を「虚空間状況探知センター」と名づけ、同センター名義のメールアートを世界中に発信していた。そんな松澤による「ハガキ絵画」(1967年—)のひとつ《湖に見せる根本絵画展》(1967年)[図11]には、次のような文章が記されている。

あなたは招かれざる客にすぎない　あの九つの不可視の白色円形の根本絵画は人間に見せるためのものではなく　文字どおり湖に見せるためのものである　あなたはただかたわらからあれらの交信の場を盗み見ているにすぎない　人間は無数の見えないものから挑戦をうけている　見えないものを見見えるものを見ないことを今や人間は学ばねばならない[7]

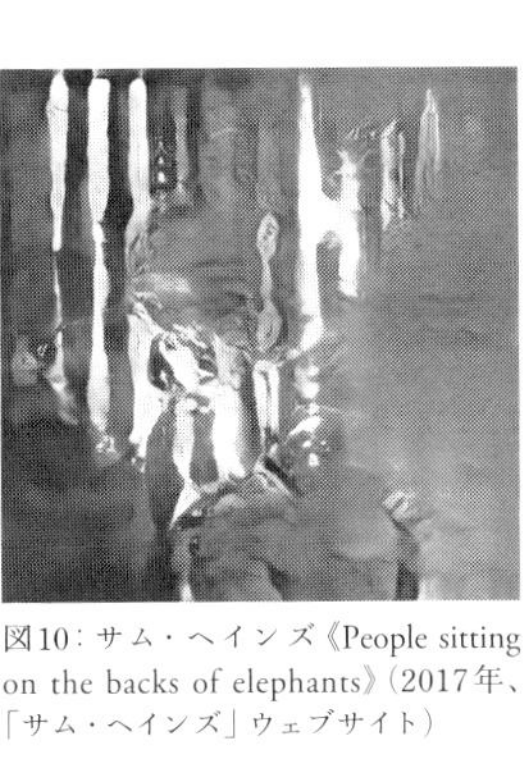

図10：サム・ヘインズ《People sitting on the backs of elephants》(2017年、「サム・ヘインズ」ウェブサイト)

この作品からわかるように、松澤は読者の視点を反転させること（＝「見られている人間」を出現させること）によって、虚構を生み出そうとしていた。ここでいう虚構、すなわち「無数の見えないもの」に囲まれた空間とは、ヘインズの表現した「虚空間」と酷似している。さらに、この作品の裏面は白紙のまま残されており、そこには人間に見ることのできない「白色円形の根本絵画」が描かれているという。

また、松澤と同時代の美術家・河原温による、西暦100万年分の過去と未来がタイプされた書籍型の作品《One Million Years》がある。そこには、200万年分の西暦が1年ずつタイプされており、すべてに目をとおすことを考えるだけで気が遠くなってしまう。このヒューマンスケールを超えた時間性は、やはり膨大な時間を扱おうとするスローテレビにも通じるものだろう。

松澤や河原のようなコンセプチュアル・アートと「ゼロ・ライク」を見比べることで、CGに特有の性質を浮かび上がらせることもできる。コンセプチュアル・アートの多くは、その特徴として、作品から視覚的な要素を排除する傾向をもっていた。1964年、松澤が夢の中で「オブジェを消せ」という啓示を受け、主に言葉による「観念美術」の制作を始めたことはよく知られたエピソードである。それに対してCGは、先にも述べたとおり、そもそもがビジュアルのみで成立する分野だった。

両者の違いを次のように要約することもできる。松澤の「ハガキ絵画」は、裏面がすべて白紙であるにもかかわらず、それが「根本絵画」と宣言されていることからもわかるように、インビジブル

（不可視）の側からビジブル（可視）を目指した作品である。それに対して「ゼロ・ライク」は、デジタル画像であるため基本的に可視的な存在であるが、目で見ることのできない虚空間を表現しているという点で、ビジブルの側からインビジブルを目指した作品である、と。このビジブル／インビジブル（可視／不可視）の交錯こそが、人間にとってもっとも手応えのある知覚を立ち上げること（＝リアライゼーション）に繋がっているのではないだろうか。

試しに「視覚」というビジブルな知覚と「触覚」というインビジブルな知覚について考えてみよう。だまし絵や錯視などに見て取れるように、人は視覚だけでは空間を見誤ることがある。その一方、目隠しされた状態で箱の中をまさぐる行為が「クイズ」になるように、触覚だけで対象を正確に認識することもまた難しい。つまり、人が正確な空間認識を得るためには、視覚（ビジブル）と触覚（インビジブル）の双方を動員する必要があるのだ。

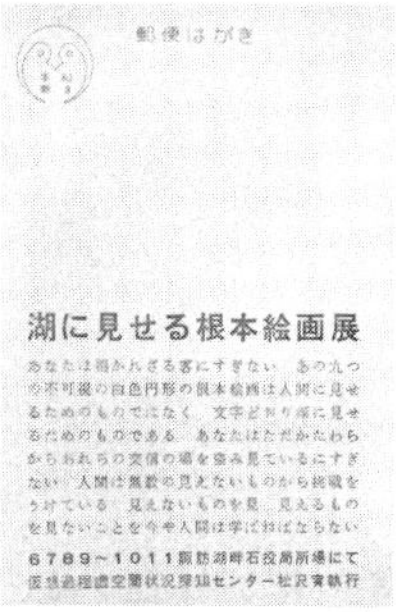

図11：松澤宥
《湖に見せる根本絵画展》
（1967年）

以上のことから、ビジブルとインビジブルの交錯によって虚空間を表現した「ゼロ・ライク」は、ビジュアフイゼーションの側からリアライゼーションを目指した作品であるということができる。あるいは、このようにいい換えたほうがシンプルかもしれない。「ゼロ・ライク」は、鑑賞者を虚空間に没入させる作品である、と。

以下では、ビジュアライゼーションの極致であるCGが、リアライゼーションを獲得するために必要となるプロセスを「没入」というキーワードから掘り下げていきたい。

没入

フランス絵画における没入

触れることもできず、ただ「見ること」しかできないCGに惹きつけられた状態を「没入」と呼ぶことはできるだろうか。もちろん「没入」という言葉自体は一般的な語彙であり、その意味ではこの仮説は一般論のように聞こえてしまう。しかし美術史／美術批評の世界では、「没入」という言葉は専門的に論じられてきた経緯がある。そこでまずは、その代表的なテキストを紹介してみたい。

美術批評家・美術史家のマイケル・フリードは、その著書『没入と演劇性』（1980年）の中で、18世紀のフランス絵画に起きたある変化を取り上げている。それは、当時のフランス絵画で「鑑賞者」という存在が問題視され始めたことに起因する変化だった。

議論の前提になるのは「絵画は人に見られるものである」という認識だ。どのような絵画も、人に見られるために描かれている。しかし、画中の人物が見られていることを前提に描かれてしまうと、その絵は途端に芝居がかったものに見えてしまう。そのため、画家たちは絵画を「見られるために存在するもの」ではなくする必要に駆られるようになった。そしてその目的を果たすために、「絵の前から鑑賞者を消去する」という方法を模索することが、当時の画家たちの共有する課題になったとされる。

もちろん、ここでいう「消去」とは物理的なことではない。そうではなく、作品の前に立っている鑑賞者と、鑑賞者が見ている作品が切り離されたかのような感覚を生み出すことが目指されたのだ。フリードはこの感覚を「究極の虚構」と呼んでいる。

そのためには、2つの方法がとられることになった。1つめは、肖像画や歴史画をドラマ的に描く方法だ。たとえば、シャボン玉を吹く人や深く悲しんでいる人など、自らの行為に深く没入した人物が描かれることによって、画中の人物が鑑賞者に気がついていないような状態が生じる［図12］。このことにより、鑑賞者は絵の前からまるで自分自身が居なくなったかのように感じ、絵の前で足を止めることになった。またそれによって、絵画空間は現実世界とは切り離された「究極の虚構」と化した。

図12：自らの行為に深く没入した人物が描かれた絵画。ジャン＝バティスト＝シメオン・シャルダン《シャボン玉》(1733年頃)

2つめの方法は、風景画を田園詩的に描くという方法である。これはドラマ的な方法とは逆に、鑑賞者が描かれた風景の中を散歩したり、瞑想したりしているかのように感じさせることによって、絵の中に鑑賞者を入り込ませるという意味での「消去」である。

フリードは、これらの議論を「没入」と「演劇性」という対概念から説明している。もともとこの2つの概念は、ミニマリズムを批判するためにフリードが用いたものだった。それによると、ミニマリズムの作品は周囲を歩き回る鑑賞者の存在を前提としているために、鑑賞者の存在が加わることで初めて成り立つ「演劇的なもの」になっている。しかしこの特徴は、モダニズムが目指す自律性に反する。作品はそれのみで成り立っておらねばならず、自らに没入していなければならないとフリードは主張するのだ。[8] この「作品が自らに没入した状態」のわかりやすい例が、先に述べた「シャボン玉を吹く人」や「深く悲しんでいる人」の絵だった。そして繰り返せば、自らに没入した作品を前にすると、鑑賞者はまるで自分自身が消去されたように感じるのだ。

この議論が思い出させるのは、CGと人間の間にある距離感である。非物質的な存在であるCGと、物質的な存在である人間との間には、絶対的な距離が生まれる。そうした特徴をもつCGの空間性は、先天的に、フリードの述べる「究極の虚構」に近い存在となる。一方で、これは鑑賞者が「自分自身が消去されたように感じる」ことで発生する観念であるため、逆説的に、CGは見る者を「自らの消去=没入」へと誘うメディアであるといえるのではないだろうか。この「誘い」は、具体的には、C

GのCGらしさ（メディウム・スペシフィティ）が強調されることによって出現することになる。先に述べたCG特有の時間性と空間性の話だ。

ここで一度、これまでの議論を整頓してみることにしよう。まず、CGは限りなく遅く、限りなく遠いメディアだ。この感覚を空間性から指摘したのが「アンリアルな風景」だった。それに対してCGに特有の時間性は「ゆっくり動いているように見える」スローテレビ的なものとして現れる。こうした感覚に「鑑賞」という視点から言及したのが「没入」という概念だった。それは美術史の議論をたどれば「シャボン玉を吹く人」の絵を前にした人が受け取る「自らの消去」の感覚に似ている。つまり、それがCGであることを自己言及したCGを前にした人は、ごく自然なプロセスで、そこに流れる時間と空間に没入してしまうのである。

フリードリヒと視点の問題

絵画実践の中で「没入」の問題が取り沙汰された18世紀半ばから少し遅れて、フランスの画家とは異なる「視点」で、この問題に取り組んだ人物がいた。ドイツ・ロマン主義の画家、カスパー・ダーヴィト・フリードリヒである。

フリードリヒは、19世紀に活躍した画家であるにもかかわらず、現代でも比較的親しみやすい作品を描いていた。なぜなら、フリードリヒの絵はまるでテレビゲームのアートワークのように見えるからだ。その理由は大きく2つある。1つは、いかにもロマン主義の画家らしく、劇的な光線や空気の表現などでその風景がわかりやすく演出されていること。そしてもう1つは、その独特な構図である。

代表作の《海辺の僧侶》（1808―1810年）〔図13〕や《雲海の上の旅人》（1818年）〔図14〕などを見れば、その絵の多くには茫漠とした風景の手前に後ろ姿の人物が配置されていることがわかる。《海辺の僧侶》では、前景に剝き出しの浜と黒い海が小さく描かれ、画面の大部分が空で占められている。そして何より目を引くのは、浜辺にポツンと佇む僧侶だ。絵のもとになったスケッチと見比べると、現実の後景には畑や丘陵が広がっていたようだが、制作の過程で、それらはすべて取り除かれている。したがって、私たちの視線は必然的に僧侶に向かうことになる。そして視線は僧侶を経由して、後景の海、茫漠とした空へと流れていくのだ。

美術史的に名高いこの作品は、その抽象性から、のちに続く印象派や抽象絵画の流れに先鞭をつけるものとして高く評価されている。しかし、これまでの議論の中でこの作品を見たとき、ノイジーに感じるのが僧侶である。美術史の流れには必ずしも回収されないこの僧侶の果たしていた機能とは何だろうか？

ここまで見てきたとおり、《海辺の僧侶》は全体として、見るべき要素の少ない風景画である。しかし僧侶に注意を向けてみることで、退屈な風景画が途端にリアリティをもったものに見えてくる。斜め後ろ向きに立つ僧侶は、まるで周辺の空間全体を背負っているかのように見える。空間と人物のバランスの悪さは、僧侶に視線を集める強い引力を帯びさせる。この「引力」を感知した途端、鑑賞者の視点はまるで僧侶に憑依するかのように大きく移動し始めるだろう。三人称視点から一人称視点に移り変わるように、僧侶の目線から見えてくる風景は、リアリティをともなったものに感じられる。

こうした「視点の移動」は、《雲海の上の旅人》や《日の出の前の女性》(1818―1820年)など、ほかの多くのフリードリヒ作品にも共通する効果だ。つまりフリードリヒは、作品の中に2つの異なる視点――風景全体を見渡す三人称視点と、画中の人物が見ている一人称視点――を意識的に両

図13:カスパー・ダーヴィト・フリードリヒ《海辺の僧侶》(1808–1810年)

図14:カスパー・ダーヴィト・フリードリヒ《雲海の上の旅人》(1818年)

立させている。こうした「視点の切り替え」は、現代人にとってはきわめてゲーム的な効果に感じられる。

フリードリヒ作品における後ろ姿の人物は、鑑賞者が視点を移動させ、絵の中に没入するための装置として機能している。さらに《海辺の僧侶》に描かれた人物が、ほかでもない「僧侶」であったことも見逃せない。あの世とこの世を取りもつ僧侶が、絵画と現実という虚実の媒介者になっているのだ。さらに、フリードリヒ独特の空間表現もこの没入感を強調している。ファンタジックな演出で奥行きが強調された絵画空間は、そこをほかの空間から切り離された「劇場」のように思わせるのに一役買っているのだ。

このように「ゲーム的」で「ファンタジック」なフリードリヒの作品を日本に紹介したのは、日本画家の東山魁夷(かいい)だった。東山は「国民的画家」として高い知名度を誇る人物で、日本画にとどまらず幅広い分野へ影響を与えてきた。そんな東山が初めてフリードリヒの作品に出会ったのは、東京美術学校を卒業してドイツに留学していたときのことだ。日本におけるフリードリヒの紹介は、１９３７年に『美之國』という雑誌に東山が寄稿した記事[9]が初出であるとされている。

しかしそれにとどまらず、東山はフリードリヒ作品の「感性」をも作品によって日本に輸入しようとしていた。そのことが指摘されるのは、東山の出世作となった《残照》（１９４７年）［図15］である。この風景画は、日本人の「心の故郷」とも評される名高い作品だが、近年になってフリードリヒの

《リーゼンゲビルゲ》（１８３０―１８３５年）［図16］との類似が指摘されている。[10]
奥に向かって連なる山々、平板な表現、そして霧がかって郷愁を誘う情景はよく似ており、そもそもフリードリヒの紹介者であった東山による類似が偶然のものであったとは考えにくい。しかし、それが「パクリであるか否か」が争点なのではない。日本人の「原風景」を描くことで「国民的画家」の地位にまでのぼりつめた東山が、日本の原風景とは似ても似つかぬヨーロッパの風景に魅了されるかたちで、その「感性」を作品に取り入れていることに疑問が残るのだ。このことについて、東山は「憧憬と郷愁」[11]と題したテキストの中で次のように述べている。

図15：東山魁夷《残照》（1947年）

図16：カスパー・ダーヴィト・フリードリヒ《リーゼンゲビルゲ》（1830–1835年）

初めてヨーロッパへ旅立ったのは、東京美術学校を卒業して間もなくの一九三三年(昭和八年)であった。ドイツを主な滞在地として、二年間、ヨーロッパの美術の研究と、生活を体験した。既に遠い昔である。

ヨーロッパと日本は、それ以来、私の心の中に憧憬と郷愁の輪になって結ばれた。戦後、私が度々、両者の間を往き来することになったのも、その根は深いところに在る。

ここから見て取れるのは、東山がフリードリヒの作品をとおして見るヨーロッパの風景に対して、人間心理に共通して訴えかける「郷愁」を見出していたということだ。風景表現における郷愁の感情を「日本」に当てはめることによって、東山は日本人の「心の故郷」を描く「国民的画家」になったのではないだろうか。

しかし、ここで注意しなくてはならないのは、こうした「郷愁」が国家への帰属意識ときわめて親和性が高いということである。実際にドイツでは、ロマン主義をナチスが「公認」するほど、国家にとっては都合がいいものとされていた。この傾向は日本でも例外ではなく、東山の画家としての評価は、いまや院展や日展を中心とする保守的な界隈を中心に通用するものとなっている。しかしこうした評価もまた、東山の表現における多面性を一義的に捉える見方であるだろう。

私たちは「郷愁」という感情に対して直接的に共感／反感するのではなく、一歩引いたところで検討するスタンスをもつべきなのではないだろうか。そのうえで、この感情が鑑賞におよぼした影響とは何だったかを考えてみたい。

まず、人がある風景画に郷愁を覚える際、鑑賞者自身の体験と絵画が結びつけられているということができる。それは絵画に対して、視覚以外のリアリティ（実在感）を見出している（＝没入している）ということだ。東山の功績は、日本の風景に「郷愁」という感情を代入したことではなく、郷愁という感情を用いた絵画における「没入」の技術を、フリードリヒを経由して日本にもたらしたことだったのではないだろうか。現に私たちが「フリードリヒ的」と感じるファンタジーCGは、もはや「郷愁」という感情からは遠く離れて、CGにおける一大ジャンルを形成している。

リアライゼーション

ハワイの墓地で起きた視点の移動

終節では、CGを離れたところで「CGらしさ」を感知した体験を考察することで「CGらしさ」の本質へ迫ってみたい。

その出来事を体験したとき、ぼくはハワイのマウイ島にいた。制作のためのリサーチの一環として、戦後のハワイで盛んになった観光産業、ネイティブ・ハワイアンの文化、そして日本人移民の足跡などをたどる旅をしていたのだ。

とくに日本人移民については、個人的な思い入れもあった。ぼくは山口県で生まれて広島県で育ったが、ハワイへの移民を全国でもっとも多く輩出したのがこの2つの地域で、親戚の中にはかつて移民として海外に渡った人もいる。

そしてある日、ラハイナにある浄土真宗の寺に立ち寄った際、住職から日系移民の墓地を案内してもらったことがあった。そこで目にした光景が、この節の主題となる。

すぐ目の前に太平洋が広がるその美しいビーチには、日本式の墓石が廃墟のようにゴロゴロと転がっていた。そのうちのいくつかは、海風が運ぶ砂に埋もれている。海外で日本式の墓地を目にすること自体も奇妙だが、それにも増して、墓石が砂に埋もれつつあるという光景に衝撃を覚えてしまった［図17］。墓地の目の前では、観光客が楽しそうに遊んでいる光景も異様だ。マウイ島には日本からの直行便はなく、北米からの観光客に人気のリゾート地となっている。そのため、このとき目の前にいた人々も、ほとんどが北米から来たと思われる観光客たちだった。

それらの墓にはいくつかの共通点があることに気がついた。ほとんどの墓石には、故人の名前、享年、出身地が刻まれている。その地名の多くは、先に述べた瀬戸内海沿岸地域であり、個人的に馴染みのあるローカルな地名が並ぶ。次に、故人の享年の若さにも驚いた。そのほとんどは10代から30代の人々で、当時のプランテーション労働がいかに過酷なものであったかを物語っている。そして最後に気がついたのは、いずれの墓石も海の方角を向いて建っているということだった。

住職にそのわけを尋ねてみたところ、浄土真宗が管轄するハワイの墓地では、すべての墓が「西方浄土」の方角を向いて建っているそうだ。ここでいう西方浄土とは天竺（インド）のことを指すが、ハワイから見た「西方」には日本も含まれている。マウイ島以外にもハワイ諸島には無数の移民の墓地が存在するが、浄土真宗の墓はすべて西方を向いているそうだ［図18］。

図17：砂に埋もれつつある日系移民の墓石（筆者撮影）

図18：西方を向く浄土真宗の墓石、ラハイナにて（筆者撮影）

その話を踏まえて墓地を見返すと、あたかもそこに眠る死者の「見ている」風景に視点が憑依し、一人称視点で「西方」を眺めているような感覚に陥った。フリードリヒにおける「視点の移動」に通じる感覚だ。それはまるで「死者の見ている風景（＝あの世）」がビジュアライズされたような感覚だった。もちろん、墓地は何も可視化してはおらず、ＣＧのようなビジュアライゼーションのメディアではない。にもかかわらず、この墓地を訪れる人々は、「祈り」という行為をとおして「あの世」のビジョンを受け取っているのではないだろうか。

つまりこの墓地は、現実の風景に「浄土」という観念を代入することで、そこを訪れる人々の視点を「あの世」へ向けさせる舞台装置として機能しているように思われた。そしてこのとき、視覚的に感じる「あの世」のビジョンは、決して「見ること」によって獲得されたものではない。

つまりこの墓地は、ＣＧに代表されるビジュアライゼーションのメディアを用いることなく、インビジブルなやり方で、ビジュアル・イメージを立ち上がらせる装置として機能しているのではないだろうか。これはある意味で「究極のＣＧ」のようなものだ。ぼくはこれを「リアライゼーションの装置」と呼んでみたい。

人間にとって、最もインビジブルな光景は死後の世界（＝あの世）である。その表象をめぐっては、人類史上さまざまな実践が積み重ねられてきた。その代表的な担い手が、宗教と芸術である。近代以前の社会では、宗教と芸術が一体化していたことを思い起こせば、視覚芸術としてのＣＧもまた、あの世の表象という究極の問題と無縁でないことがわかる。

ところで、ここでいう「あの世」を「遠くにある場所」といい換えることができれば、「アンリアルな風景」や「虚空間」もまた、あの世に近い空間としてイメージできるのではないだろうか。フリードリヒの作品における「視点の切り替え」が、あの世とこの世を媒介する「僧侶」を経由していたことも示唆的である。

イサム・ノグチの原爆慰霊碑

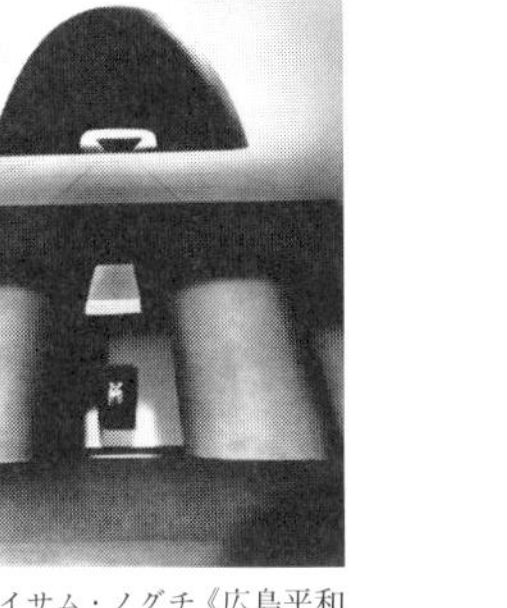

図19：イサム・ノグチ《広島平和記念公園慰霊碑の模型》（1952年、『イサム・ノグチの空間芸術』2021年）

続いて、あの世とこの世の話題から、優れた「リアライゼーションの装置」とは何かを考えてみたい。ここで取り上げるのは、形式的には「墓」と「作品」の中間にある「慰霊モニュメント」と呼ばれるイサム・ノグチの《広島平和記念公園慰霊碑の模型》（1952年）［図19］だ。

この作品は「模型」と題されていることからもわかるとおり、実現しなかった幻のプランである。その考察に入る前に、まずはこの作品に関係するノグチの歩みを簡単に振り返ってみよう。

イサム・ノグチは、日本人の父とアメリカ人の母をもつ彫刻家である。1904年にロサンゼルスで生まれ、第二次世界大戦中にはアメリカの日系人収容所に入っていた。戦後間もない時期には、《火星から見るための彫刻》（1947年）をはじめとする核戦争の脅威を題材にした作品を制作していた。自身の制作の流れからも、日米にルーツをもつという意味でも、ノグチにとって原爆投下は無視できない大きなテーマだった。

その一方、広島平和記念公園は、1949年のコンペで建築家の丹下健三が1等に選ばれ、1954年に開園することになった公園である。丹下の案は、東西北を山に囲まれ、南は海に面した広島のデルタ地形を活かしながら、東西・南北に軸線を引き、人々の流れと視線を原爆ドームへと誘導するものだった［図20］。公園の南端を「平和大通り」が貫き、東西にはそれぞれ、ノグチがデザインした橋《いきる》と《しぬ》（1952年、のちに《つくる》と《ゆく》に改名）が架けられている。

この横軸のラインにクロスするかたちで、原爆ドーム／爆心地への縦軸のラインが引かれ、慰霊碑はその縦軸上に配置されることになった。丹下の誘いでプロジェクトに参加したノグチは、1952年1月に慰霊碑のプランをつくり、模型の写真を広島市に提出している。

しかし、実現を間近に控えた同年3月、建設専門委員会のひとりである岸田日出刀（ひでと）がノグチのプランを却下してしまった。その理由は、ノグチがアメリカ国籍を有しているということだった。戦時中には「日本人」という理由でアメリカの収容所に入れられていたノグチにとって、「アメリカ人」という理由で自身のプランが却下されてしまうことは、耐え難い出来事だっただろう。

こうして「幻のプラン」となったノグチの原爆慰霊碑であるが、その模型写真を見るだけでも、それがいかに画期的なものであったかがわかる。地上には慰霊碑が、地下には被害者の名前が記されたリストを収める空間が設計されている。最大の特徴は、放物線形のアーチをデザインに取り入れることで、この2つの空間をひとつづきのものにした点だろう。このアーチ形態が、丹下の描く公園プランともリンクしていくことになる。

まず、平和大通りの東西に架けられたノグチのデザインによる欄干は、東の橋《いきる》が昇る太陽をイメージしており、西の橋《しぬ》が船のへさきをイメージしている。「太陽と船」というモ

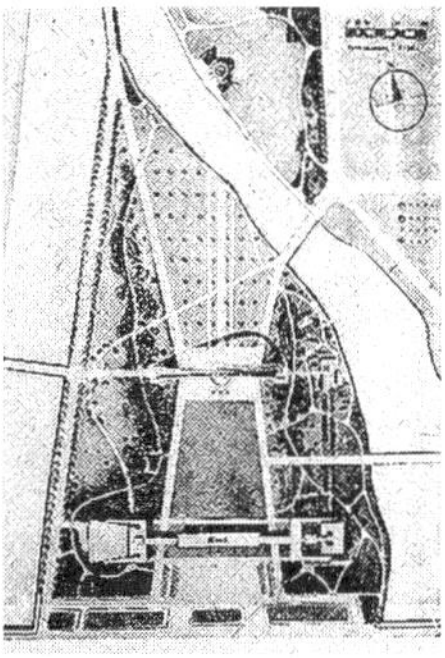

図20：丹下健三ほか《広島市平和記念公園及び記念館 競技設計1等案 平面図》(1949年、日本建築学会『建築雑誌』1949年10+11月号)

チーフは、ノグチが広島を訪れる直前に調査のため訪問していたエジプトの神話から引用したものだとされる[12]。

それによると、太陽を頭につけた神レーは、毎日東から西に向けて船に乗って旅をしているそうだ。これは日の出と日の入りを神話化したもので、レーは夜に死んで朝に蘇ることを繰り返すため、死者の復活を司る神ともみなされているのである。

東西の橋が示す「生死」の循環の中で、その中央上部に位置するのが、先に述べたアーチ型の慰霊碑だ。丹下の設計により広島デルタ全体から集められた視線が、慰霊碑のアーチに沿うかたちで地下の空間に引きつけられることになる。この地下空間は、ノグチによると「洞窟」や「子宮」を暗示するものだった。「地下の洞窟（我々はみなそこに戻っていく）は遺族の慰めの場所であり、また死者に代わり新しい世代が誕生する子宮を示唆する場所である[13]」とノグチは語っている。

つまりノグチは、広島デルタ全体から集まった視線を、平和大通り、欄干、慰霊碑のアーチと連続した流れを経由させることによって、この地下に集約させようとしていた。そのうえで、この視線はアーチを沿って地上に戻り、そこで「生と死」の循環が示されるというわけだ。

原爆投下という言語を絶する出来事は、たった1発の爆弾で広島デルタ全体を壊滅させるものだった。この「とりかえしのつかない出来事」に対して、ノグチは都市計画の方法論を慰霊碑にとり入れ、広島デルタ全体を巻き込むダイナミックな流れを生み出そうとしたのではないだろうか。それはすなわち、核エネルギーへの拮抗を示す方法である。このダイナミックで循環的なビジョンが、ノグチなりの「慰霊」の道筋であり、写真や言葉とは別のかたちで、広島で起きた「とりかえしのつかなさ」をリアライゼーションする試みだったのだ。

原爆投下をめぐっては、現代でもCGやVRなどのテクノロジーを動員した「再現」が繰り返しおこなわれている。しかしそのいずれもがリアリティに欠けるもので、結果的には、その不十分な再現を補足する「語り部」の存在が必要とされ続けている。

だが、ノグチが示したリアライゼーションの方法は、1945年8月6日のビジュアライゼーションではないかたちで、いま必要とされているリアリティを創出する試みだった。その意味で、ここにも「CGの課題」への解決案が示されているのだ。

あるいは、次のようにいい換えることもできるかもしれない。核のエネルギーを都市的スケールでリアライゼーションしたノグチの慰霊碑は、対峙した人にあの日の出来事の「とりかえしのつかなさ」を実感させることで、そのイメージを鮮やかに浮かび上がらせていたのではないか、と。その意味でこの慰霊碑案は、CGよりもCGらしい試みであったということができるかもしれない。

結論にかえて——あの日に誰かが見た風景

以上、CGをめぐる考察をビジュアライゼーション／リアライゼーションという2つの軸から検討してきた。最後に、冒頭で紹介した自作《Waiting for》について振り返るかたちで、このテキストの締め括りとしたい。

まずこの作品が実現した背景には、CG技術の民主化が必要不可欠だった。制作には、2015年に無償提供が開始されたUnreal Engineが用いられている。33時間19分という長さ、そして100万年前／後の風景という設定は、CG特有の「長さ」や「遠さ」の感覚に由来する。2万464種の動物の俗名を呼び続けるという行為は、レンダリング・ポルノの「無菌室感」を浮かび上がらせながら、「あの世」と「この世」の境に言及する行為となっている。

こうした構成はあらかじめ決められていたものではなく、制作過程で出現した課題にひとつひとつ応答するかたちで決められたものだった。そしてこのテキストに登場するモチーフもまた、作品の制作過程に必要に迫られるかたちで浮かび上がっていったものだ。CG特有の没入感は西洋絵画に由来するもので、フリードリヒはそのキーパーソンであるものの、まだほかにも参照すべき事例は数多いだろう。

《Waiting for》には、このテキストで論じてきたような「ハワイ」や「広島」の風景が直接描かれてはいない。しかし、CGのメディウム・スペシフィティとのインタラクションから生まれたこの作品は、CGが本当の意味で求められる極限状況（＝インビジブル）に対応したものであり、その意味において、あの日の「ハワイ」や「広島」で誰かが見た風景を、アンリアルに映し出したものでもあるかもしれない。

1　その際に参照した主な文献は、次の通り：川田伸一郎・岩佐真宏・福井大・新宅勇太・天野雅男・下稲葉さやか・樽創・姉崎智子・横畑泰志『世界哺乳類標準和名目録』日本哺乳類学会、２０１８年／石井直樹『世界鳥類 和名・英名・学名 対照辞典 第５・２版』石井直樹、２０２１年／岩沢久彰・倉本満『動物系統分類学 第９巻下Ａ２ 脊椎動物（Ⅱａ１）両生類Ⅰ』中山書店、１９９６年／中村健児・疋田努・松井正文『動物系統分類学 第９巻下Ｂ１ 脊椎動物（Ⅱｂ１）爬虫類Ⅰ』中山書店、１９９８年／松井正文『動物系統分類学 第９巻下Ｂ２ 脊椎動物（Ⅱｂ２）爬虫類Ⅱ』中山書店、１９９２年／『日本産爬虫両生類標準和名リスト ２０２０年11月16日版』日本爬虫両棲類学会、２０２０年／海老沼剛『爬虫類・両生類１８００種図鑑』三才ブックス、２０１２年／田原義太慶『毒ヘビ全書』グラフィック社、２０２０年／ティム・ハリデイ『世界のカエル大図鑑』吉川夏彦・島田知彦・江頭幸士郎・倉橋俊介監修、坂東智子・日野栄仁・世波貴子訳 柏書房、２０２０年／大谷勉『世界のカメ類』文一総合出版、２０１８年。

2　ANNA WIENER, "The Strange, Soothing World of Instagram's Computer-Generated Interiors: "Renderporn"

domesticates the aspiration and surreality of the digital age," *The New Yorker*, May 6, 2021, https://www.newyorker.com/culture/rabbit-holes/the-strange-soothing-world-of-instagrams-computer-generated-interiors (2023/2/6).
ANNA WIENER「Instagram にあふれる『レンダリング・ポルノ』の奇妙で心安らぐ世界」『WIRED』Terumi Kato/Liber 訳、コンデナスト・ジャパン、２０２１年７月26日、https://wired.jp/membership/2021/07/26/the-strange-soothing-world-of-instagrams-computer-generated-interiors/（２０２３年２月６日アクセス）。

3 同前。

4 評論家の gnck は、こうしたデジタル画像の特性が「ループ gif イラスト」というジャンルを生み出したとしている。gnck「静中在動、動中在硬」『レビューとレポート』第27号、２０２１年８月、http://gnck.net/text/randr27.htm（２０２３年２月６日アクセス）。

5 ロザリンド・E・クラウス『アヴァンギャルドのオリジナリティ――モダニズムの神話』小田信之・谷川渥訳、月曜社、２０２１年。

6 Calla Wahlquist, "'Socialist' hipster who fooled the Age is from family worth billions," *The Guardian*, July 14, 2016, https://www.theguardian.com/media/2016/jul/14/socialist-hipster-who-fooled-the-age-is-from-family-worth-billions.

7 『ニルヴァーナからカタストロフィーへ――松澤宥と虚空間のコミューン』オオタファインアーツ、２０１７年、66頁。

8 マイケル・フリード『没入と演劇性――ディドロの時代の絵画と観者』伊藤亜紗訳、水声社、２０２０年。

9 東山魁夷「独逸浪漫派の二巨匠――カスパー・ダヴィット・フリードリッヒとオットー・ルンゲに就いて」『美之國』13巻７号、美之國社、１９３７年、80―83頁。

10 黒瀬陽平「妄想と偏見超えて 生誕１１０年 東山魁夷展」『東京新聞』２０１８年11月16日夕刊、中日新聞東京本社、２０１８年、７面。

11 東山魁夷「憧憬と郷愁」『ドイツ・オーストリア――東山魁夷小画集』新潮社、１９８４年、５頁。

12 松木裕美『イサム・ノグチの空間芸術――危機の時代のデザイン』淡交社、２０２１年、１０５頁。

13 Isamu Noguchi, "A Project: Hiroshima Memorial to the Dead," *Arts and Architecture*, Apr. 1953, pp. 16–17. 日本語訳は下記を参照：松木『イサム・ノグチの空間芸術』１０５頁。

Fat-nosed Spiny Rat

Pale-footed Swallow

Desert Woodrat

Long-crested Eagle

Pacific Tuftedcheek

Black-throated Blue Warbler

Stygian Owl

Japanese Short-tailed Bat

Black-headed Antthrush

Rufous-necked Sparrowhawk

Honey Possum

Bushy-tailed Opossum

Temminck's Mysterious Bat

Striped Sparrow

São Tomé Shorttail

White-eared Barbet

第三部

アール・ローランのダイアグラム

不純物

アール・ローラン（１９０５―１９９９年）は、アメリカの画家、美術史家、教育者である。その名は日本ではあまり知られていないものの、著書『セザンヌの構図（Cézanne's Composition）』[1]（１９４３年）が１９５３年に美術出版社から翻訳出版されており、実技系の学生を中心に日本でも多くの読者を獲得してきた。かくいう筆者も学生時代にこの本を手に取り、絵画の制作・鑑賞・批評にかんして大きな示唆を受けたことがある。

同書がユニークなのは、それがフランスの画家、ポール・セザンヌの作品分析を主題にしたものでありながら、同時に、絵画制作の教本としても読むことができるという点にある。なぜ、この本がそのような性質を帯びることになったのか。その理由は、ローランという人物の歩みに求めることができる。そこでまずは、彼のバイオグラフィを確認してみよう。

アール・ローランは、１９０５年にミネソタ州ミネアポリスで生まれた。地元にあるミネソタ大学を卒業後、ミネアポリス美術学校で画家キャメロン・ブースのもとで学んだ。ターニングポイントになったのは、21歳のときにパリ賞を受賞したことだ。ヨーロッパに滞在する奨学金を得たことで、ローランはセザンヌのアトリエで制作する機会を得て、3年にわたりフランス各地を旅行した。彼がとりわけ魅了されたのは、セザンヌの故郷エクス＝アン＝プロヴァンスだった。ローランはその風景を作品として描き残すとともに、数多くの写真も撮影している。それから約20年後の43年に刊行された『セザンヌの構図』は、このときに撮影された写真がもととなって執筆されている。

　アメリカに帰国したあとは、１９３６年にカリフォルニアに移り、以後73年までカリフォルニア大学バークレー校の美術学部で長い教員生活を送ることとなる。『セザンヌの構図』が執筆されたのもその期間中であり、同書は、ローランが教育者としてのキャリアを積んでいる中で執筆されたものだった。実際にローランは教育現場でもこの研究を活用しており、書籍に掲載されたものと同型のダイアグラムが指導のために用いられている［図1］。そんなローランのもとからは、ジェイ・デフェオ、リチャード・ディーベンコーン、サム・フランシスなど、多くのアーティストが輩出された。

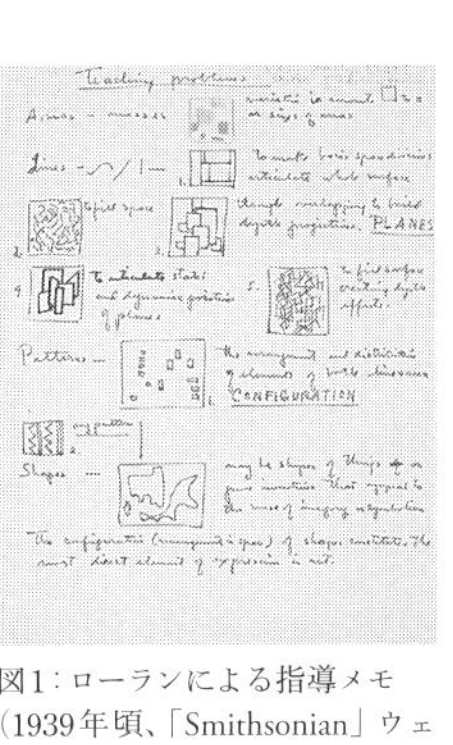

図1：ローランによる指導メモ（1939年頃、「Smithsonian」ウェブサイト）

　また、美術史における功績も少なくない。24歳のときに『ザ・アーツ』誌に発表した論文「セザンヌの故郷（Cézanne's Country）」[2]は、セザンヌ作品の題材となった風景を写真つきで紹介した初めての論文として世に知られている。美術史家のジョン・リウォルドやリオネルロ・ヴェントゥーリらは、この論文に触発されてエクス＝アン＝プロヴァンスを訪れるようになり、セザンヌがモチーフにした風景が詳細な記録に収められることになった。その記録は、以後セザンヌ作品を研究するうえでは欠かせない資料のひとつとなっている。さらに批評における影響として、『セザンヌの構図』で考察された「視点の複数性」［図2］は、「キュビスムの先駆者セザンヌ」という通説にも先鞭をつけるものとなった。また画家としても、彼の作品はサンフランシスコ近代美術館やデンバー美術館などに収蔵されている。

　このように、多岐にわたるローランの功績は輝かしいものであるが、いま改めてローランを考察することの意義は、そうした歩みをなぞり返すことにはない。初版発行から数十年の年月が経ったいま、

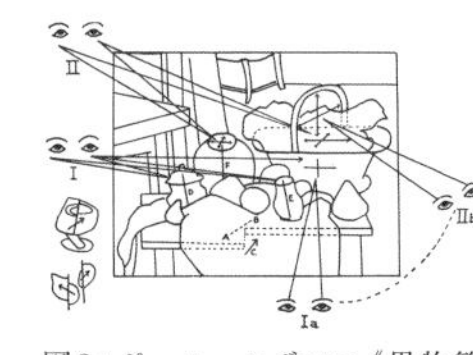

図2：ポール・セザンヌ《果物籠のある静物》をもとにしたローランのダイアグラム（アール・ローラン『セザンヌの構図』1953年、128頁）

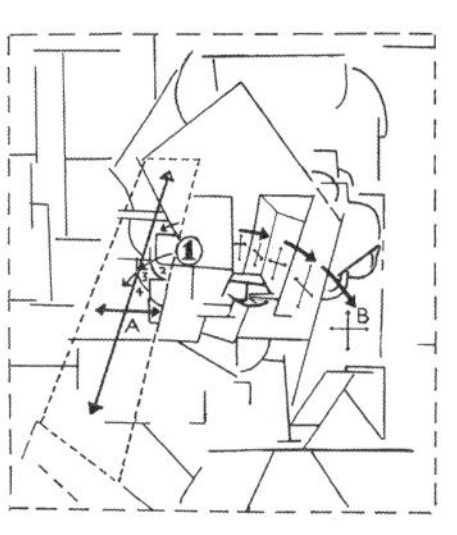

図3：パブロ・ピカソ《カーンワイラーの肖像》をもとにしたローランのダイアグラム（同前、165頁）

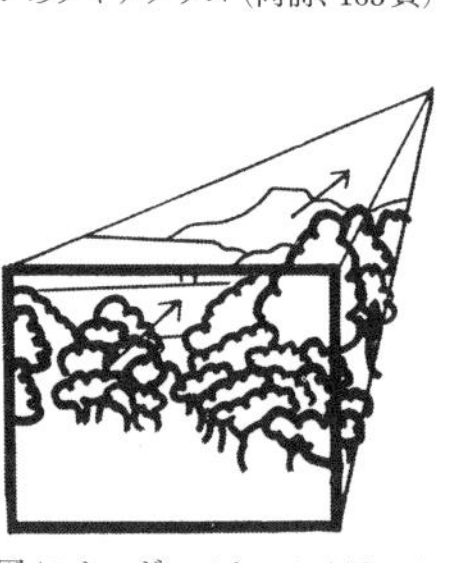
図4：オーギュスト・ルノアール《サント・ヴィクトワール山》をもとにしたローランのダイアグラム（同前、159頁）

おこなうべきことは、ローランをめぐり何が歴史化され、何が歴史化されなかったかを振り返ることにある。

まず、ローランは「あらゆるイメージに対応可能な分析言語」を構築することを目指していた——分析対象はセザンヌだけでなく、ピカソ［図3］やルノアール［図4］などの作品もダイアグラム化されている。その実現のために掲げられた概念が「不変数（constant）」だ。ローランのいう不変数とは、古今東西の優れた絵画に共通して備わる「原則」や「基礎」であるとされ、その思想はきわめて近代的且つ還元主義的なものだった[3]——実際に、ローランの分析は還元主義的なモダニズムの批評家、クレメント・グリーンバーグにも影響を与えている。しかし、ローランの分析には単一の原理に還元できない多義的な要素が多分に含まれていた。この点は、これまでローランを語るうえではあまり言及されていない要素だったが、本論ではこの「不純物」に焦点を当ててみたい。

振動する構図

『セザンヌの構図』は、ローランが教鞭を執ったカリフォルニア大学の出版局から刊行されている。刊行後、同書はアメリカ各地の大学出版から刊行された美術の教本に繰り返し参照されており、また、その研究目的についてはローラン自身も以下のように綴っている。

この研究の究極的目的は、「セザンヌの個人的な様式」を把握しようとするだけではない。セザンヌの様式の表面的なことについては、既に広く認識されているから、その点について更に批判的研究をすることは差当って必要でない。この研究の目的は、創造的な制作、教育、批評等に一般的に応用できるような、デッサンと構図との幾つかの一般原則の研究に先鞭をつけることである。[4]〔傍点引用者〕

ここでいわれている「制作、教育、批評等」への寄与とは、ローランの略歴からも見て取れるように、それぞれの営みを明確に線引きせず、学際的なアプローチを試みようとする姿勢に象徴されている。同書がほかの教本と異なるのはこの性質によるところが大きく、制作・教育・批評を同時に試みる姿勢が特異点として際立っていた。

それでは、そこでおこなわれる分析は具体的にどのようなものだったのだろうか？

何よりもまず、初学者向けの教本という性格のためだろうか、同書には約70点ものダイアグラムが掲載されている。ダイアグラムはすべてローランの手描きによるもので、視覚的にも独特のニュアンスがある。より簡素な図解にすることもできたはずだが、すべてフリーハンドで描かれたダイアグラムは、説明的な図解というよりもどこかドローイングのようだ。たとえばこのダイアグラム（以下、風景ダイアグラム）〔図5〕は、セザンヌの《風景》（1905―1906年）〔図6〕という油彩画をモデルにしたもので、本論にとってとくに重要なダイアグラムである。セザンヌ作品に内在する「視点の複数性」を示した《果物籠のある静物》のダイアグラム〔図2〕と比べると、風景ダイアグラムは図解というよりも抽象画の下図のようにも見えるだろう。

さらに風景ダイアグラムからは、ローランのダイアグラム全般に見られるある操作を観測することもできる。第一に、風景ダイアグラムには原画に描かれていなかった支持体の矩形が描き加えられている。こうした縁取りは、ほかの多くのダイアグラムにも見られる特徴だ〔図2・4・5〕。この矩形は、それが平面であることを証言する最低要件としてのフレームを導入することによって、ダイアグラム

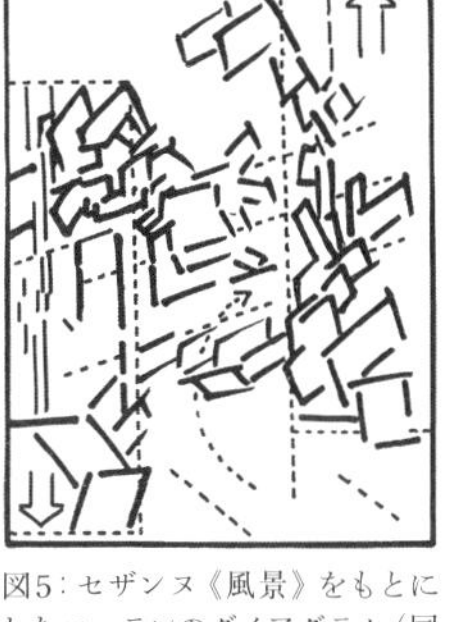

図5：セザンヌ《風景》をもとにしたローランのダイアグラム（同前、201頁）

図6：セザンヌ《風景》（1905–1906年）

が「絵画／平面（フラットネス）である」という自己言及をおこなっている。あるいは、次のようにいい換えることもできるかもしれない。ダイアグラムが、平面（＝絵画）の平面（＝図解）であることを自己言及するフレームは、ローランが重視した「画面の二次元性」を強調するための操作であった、と。

「絵画は、その表現するモティーフの如何にかかわらず自己の構造たる基礎的二次元（平面）に対して忠実でなければならない〔傍点原文〕」[5]——これは、ローランが引用するアンドレ・ロートによる言葉である。絵画がその平面性に忠実であろうとすることは、絵画が絵画自体の枠（フレーム）と表面（サーフェス）に言及する身振りとして置き換えられるものだ。こうした絵画像を具現化したようなダイアグラムも存在している。「絵箱（Picture Box）」のダイアグラムだ〔図7・8・9〕。

ローランの解説[6]によると、これらのダイアグラムは、奥に向かって延びていく絵画的効果（三次元効果）と、それが手前に復帰しオーバーラップする絵画的効果（二次元効果）の図解のために用いられている。その背景には、ローランが「画面の二次元性を考慮に入れた三次元性」[7]に絵画の本質を見ていたという事情がある。ローランは、セザンヌの分析を通して絵画の「本質」を例示しようとし、さらには「古典的理念の近代における再現」[8]までもおこなおうと考えていた。とはいえ、さしあたりここでは、フレームや絵箱が「画面の二次元性を考慮に入れた三次元性」を示すために導入された要素であったという整理に留めておこう。

この認識は、ローランのダイアグラムに対して向けられる定型的な批判を退けるうえで機能している。同書の試みは、しばしば「モティーフの縁取り（トレース）に過ぎない」として批判されてきたが、その基本的なアイディアが「二次元性と三次元性のオーバーラップ」にあり、同書の分析の大半をこのアイデアの変奏として理解することによって、そうした単純化を避けることができるからだ。

たとえば、ローランが「構造線」[9]と呼ぶ線が存在する。この線は、何よりも通常の輪郭のように原画には描かれていないにもかかわらず、あたかもそこにあるかのように感じられる（とローランが主張する）面の存在を示唆する役割をもっている。このことは、ダイアグラムが客観的なトレースによって成立しているのではなく、実はそこに主観的な判断が都度混入しているということを明らかにするものだ。

図10のダイアグラムは構造線を用いた例である。ここでポイントになるのは、鑑賞者の意識が二次

図7：ローランによる絵箱のダイアグラム（『セザンヌの構図』47頁）

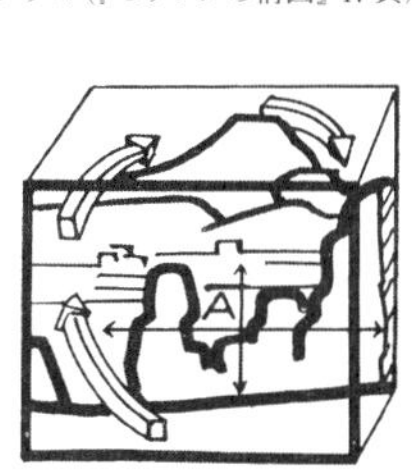

図8：同前、159頁

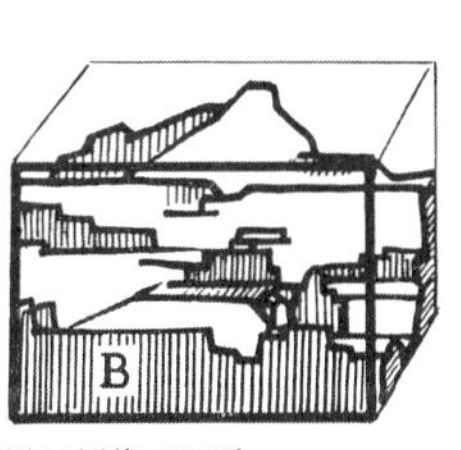

図9：同前、167頁

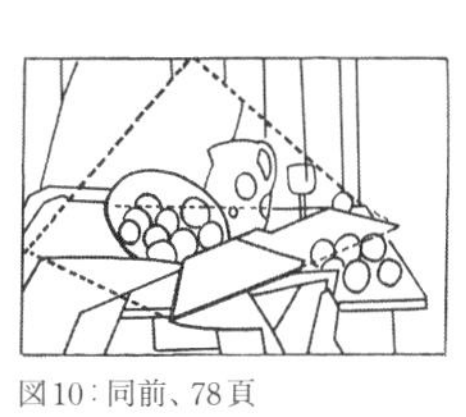

図10：同前、78頁

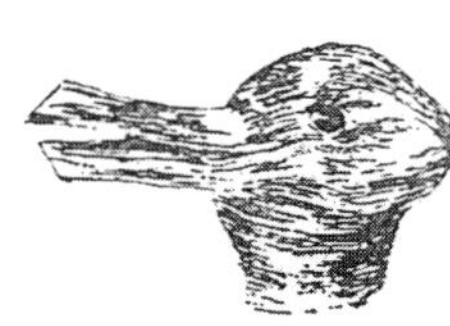

図11:《ウサギかアヒルか》(E・H・ゴンブリッチ『芸術と幻影』1979年、28頁)

元と三次元の間を行き交う際に生まれる時差が、ダイアグラムに内包されているということだ。点線で示される構造線は、《ウサギかアヒルか》〔図11〕という騙し絵において、鑑賞者の意識がウサギとアヒルの間を揺れ動いてしまうように、セザンヌの絵に含まれる構造が二次元(=絵画の表面)と三次元(=絵画に描かれた室内)の双方にまたがることによって、両者の間を2つの知覚が行き来する「揺れ」の感覚が生じることを示している。つまりこのダイアグラムにおいては、二次元と三次元の2つの知覚が入り乱れた状態が焦点化されているのだ。

ここから見えてくることがある。それは、『セザンヌの構図』でローランが理想としていた「構図」とは、均衡が保たれた統制的なものではなく、異なる次元の空間を視点が行き来することによって生まれる、不安定でダイナミックな状態を指しているということだ。このダイナミズムへの志向性が、ローランのダイアグラムそのものの存在論的な揺らぎとも共振していく。

また、構造線の考察からダイアグラムの第二の特徴を発見することもできる。注目すべきは、風景ダイアグラムにはその原画〔図6〕に存在しない「構造線」や「矢印」などの要素が描き加えられているということだ。これらの記号が何であるのかを考えるうえで、それらがローランの主観的な判断によって描き加えられたものであるという事実は、ややもすると見過ごしてしまいそうな事象に思えるが、決して無視するべきではない――ローラン自身も、構造線はそれが主観的に引かれる点に特性があると強調している。[10]

そこで、改めてこれらのダイアグラムをよく見てみよう。するとそこには、ローランによって抽出された原画にもとづく線（＝客観的に引かれた線）と、原画には存在しない線（＝主観的に引かれた線）が複雑に折り重なっていることがわかる。つまりこのダイアグラムの読み手は、セザンヌに依拠する線とローランに依拠する線を同時に読み取っていることになる。なぜ、こうした事態が生じているのだろうか？

結論を急ぐ前に、ローランのダイアグラムを巡って起きたある事件について触れておきたい。それは、ローランのダイアグラムの多義性に着目し、その位置づけを「教育」から「制作」へと置き直したアーティストの試みが発端として勃発したものだった。

リキテンスタインとの論争

『セザンヌの構図』の刊行からちょうど20年目となる1963年、同書に収められた《腕組みをした男》のダイアグラム［図12］と《セザンヌ夫人の肖像》のダイアグラム［図13］が、ロイ・リキテンスタイン（1923―1997年）によって「拡大コピー」され、展示されるという出来事が起きた。

その展覧会は、1963年4月にロサンゼルスのフェルス・ギャラリーでリキテンスタイン初の〝ポップな〟個展として開催されたものだった。[11] 展示された2点の「拡大コピー」のうち、《セザンヌ夫人の肖像》（1962年）［図14］と名づけられた作品は、図版で見る限り、ローランによる「原画」［図13］と見分けがつかないほど精巧に描き写されていた。これに驚いたローランは、同年9月号の『Artforum』[12]と『ARTnews』[13]にリキテンスタインを批判する記事を寄稿し、論争が始まることとなった。その後この論争はローランによるリキテンスタインへの訴訟へと発展していくが、最終的にはローランが敗訴している。

論争の的となったリキテンスタインの作品に先行して、その前年にリキテンスタインは《ごらん、ミッキー》（1961年）［図15］という作品を制作した。これは、リキテンスタインが初めてカートゥーン風の輪郭線、工業的なカラーリング、ベンデイ・ドット（印刷でハーフ・トーンをつくる際に用いられる網点）をとり入れて描いた油彩画で、《セザンヌ夫人の肖像》と同様、モデルになった「原画」［図16］からの「拡大コピー」の手法がとられている。同作は、のちにリキテンスタインを代表する「ポップ・スタイル」の最初の作品として知られていくこととなるが、これらの作例にはいくつかの共通点が存在する。

まず、両作品はそれが印刷物からの引用であることを自己言及的に示しているという点で共通している。《ごらん、ミッキー》の場合、工業的なカラーリングやベンデイ・ドットが用いられることによって、それが印刷物に由来することが示されている。《セザンヌ夫人》の場合、図版ではわかりづらいものの、画面上部に向かうにつれて輪郭線が先細りしており、これはリキテンスタインが制作時に原画をキャンバスにプロジェクションして生じた映写角度のズレが反映されたものだ。この先細りによって、この図像がオリジナルではないコピーであることが示されている。

また、同時期にリキテンスタインは、ピカソ［図17］、モネ［図18］、マチス、モンドリアンといった「モダン・マスターズ」の連作も制作しているが、この連作と《セザンヌ夫人》との間にはある決定的な違いが存在している。両者はともに、美術史上の巨匠の作品をリソースにしたものであるが、前者ではベンデイ・ドットやアウトラインによる「リキテンスタイン化」がおこなわれているのに対し

図12：セザンヌ《腕組みをした男》をもとにしたローランのダイアグラム（同前、147頁）

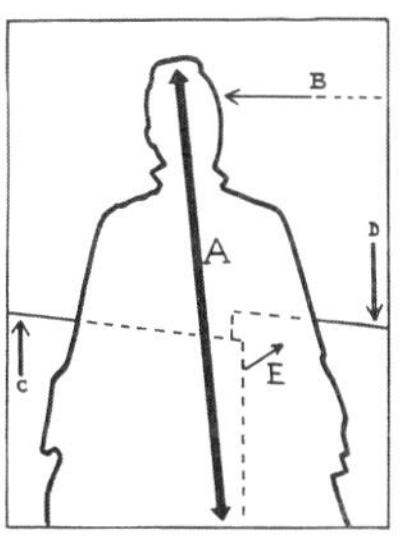

図13：セザンヌ《セザンヌ夫人の肖像》をもとにしたローランのダイアグラム（『セザンヌの構図』139頁）

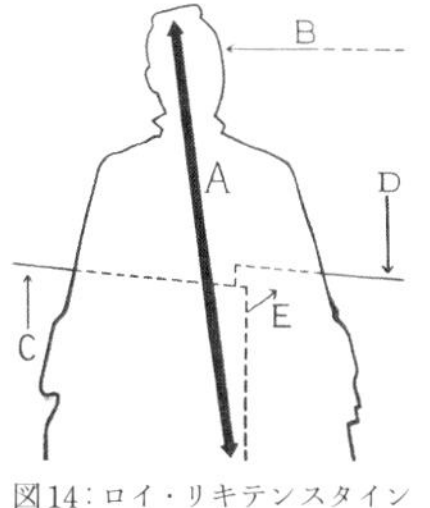

図14：ロイ・リキテンスタイン《セザンヌ夫人の肖像》（1962年）

て、後者ではそれを介さない直接的引用の手法がとられていたのだ。これに対して、メディアではリキテンスタインの《セザンヌ夫人の肖像》の試みがしばしば「変換（transformation）」という言葉を用いて語られたが、リキテンスタインはそれを嫌っていたという。たしかに同作は「変換」というよりも、身も蓋もない「盗用」に近いものだ。この点で《セザンヌ夫人の肖像》は、「モダン・マスターズ」よりも《ごらん、ミッキー》に近い試みであるということができるだろう。

　それでは、リキテンスタインは何を基準に「変換」と「盗用」を使い分けていたのだろうか。それを考えるために、ローランのダイアグラムとミッキーのイラストに共通していながら、「モダン・マスターズ」には存在していない要素を整理してみたい。

　まず前者の特徴として、「情報を線に還元するもの」という点が挙げられる。リキテンスタインは、論争のさなかに実施されたインタビューにおいて、ローランのダイアグラムは「マンガと同様に情報（コミュニケーション）の伝達に優れていること」[14]にその特徴があると述べている。ここからは、リキテンスタインがマンガやダイアグラムにおける情報伝達に着目していたことがわかる。

　次に、その図像が印刷物という複製技術の中にのみ存在しているという共通点も存在している。もちろん、ミッキーのイラストにもローランのダイアグラムにも厳密な意味での「原画」は存在するが、それが社会的に流通する場所は美術館やギャラリーではなく複製媒体の中だった。極端に単純化されたアウトラインは、当時の印刷技術によって大量生産可能なドットの密度に規定されたものであり、それは正確な意味で、コミュニケーションのあり方そのものを表象する図像だったのだ。

　こうした関心にもとづくリキテンスタインの「ポップ・スタイル」では、大量消費社会の絵画の理念として、誰が描いても「まったく同じ」[15]結果になる方法が模索されていた。造形的に簡素で情報伝達にも優れたアウトラインは、そうした理念からも導き出される必然の結果であり、以上の理由から、リキテンスタインはダイアグラムやミッキーのイラストを社会的なコミュニケーションの場ごと再提示することによって、社会的な存在としての「作品」へと読み替えたのだ。

　だがそれでもなお、ローランがどうしても看過できなかった問題がある。それは、ダイアグラムが〝誰の〟作品であるかという問題だ。リキテンスタインはモダン・マスターズからは「変換」を経由し、そうでないリソースからは「盗用」しているという状況もまた、画家としてのアイデンティティ

図15：ロイ・リキテンスタイン《ごらん、ミッキー》（1961年）

図16：ボブ・グラントとボブ・トッテンによる原画（Carl Buettner, *Walt Disney's Donald Duck, Lost and Found*, Golden Press, 1960）

図17：ロイ・リキテンスタイン《帽子をかぶった女》（1962年）

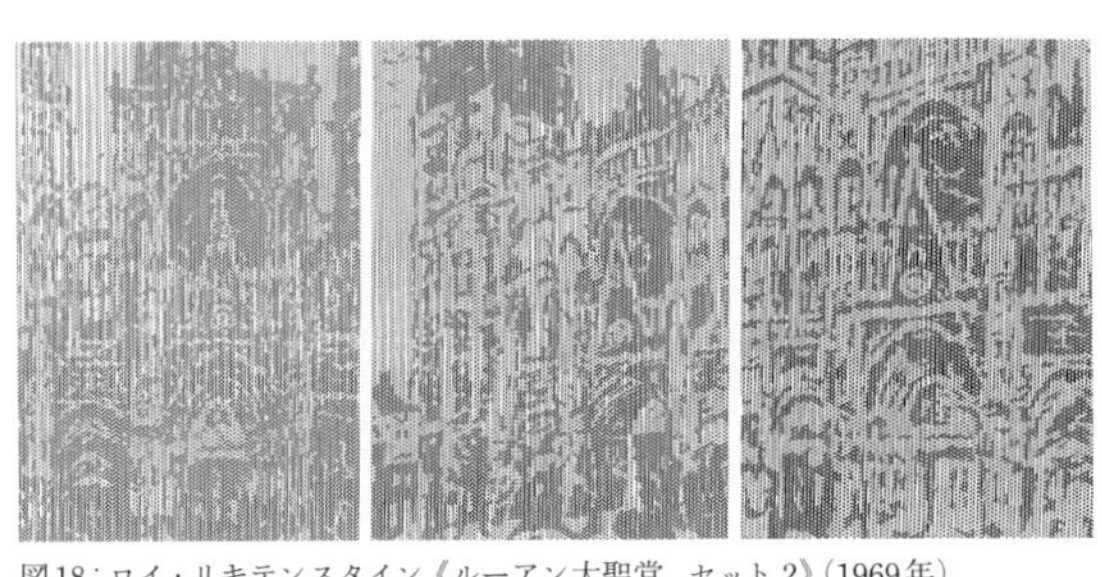
図18：ロイ・リキテンスタイン《ルーアン大聖堂、セット2》（1969年）

をもつローランにとっては許容できないものだっただろう。最終的に事件はローランが敗訴することで決着がついたものの、この論争はそれ自体が、ローランのダイアグラムを「作品」として読み替える契機となり、それが「誰の」創造行為であるかを考える糸口にもなった。

リニア・ストラクチャー

リキテンスタイン事件を経由することによって、ローランのダイアグラムの著作性について考えるきっかけが生まれた。それは、ローランが綴っていた3つの研究目的（制作、教育、批評）の「制作」について考察する作業にも近い。そこで再び、ローランのダイアグラムを「よく見る」作業を再開してみよう。

まず、ダイアグラムのみならずセザンヌの作品図版も含め、『セザンヌの構図』に収められた図版はモノクロで掲載されていた。論考主体の本として見るならば、図版がモノクロであることは不自然ではないものの、「色彩の画家」と呼ばれるセザンヌを視覚的に考察する書籍において、色彩がないという事態は注目に値する――そのような指摘をおこなったのが、先にも名前が挙がったクレメント・グリーンバーグ（1909―1994年）だった。

1945年12月、グリーンバーグは書評の中で次のように述べている。「ローラン教授のテキストが証明したことの1つは――彼自身は言及していないものの――印象派の作品が色彩とテクスチャーに依存すると考えられてきた通説とは対照的に、セザンヌの作品がモノクロであっても意外によく持ち堪えているという興味深い事態である」[16]。続けてグリーンバーグは、ローランのダイアグラムを「リニア・ストラクチャー（linear structure）」という言葉で表し、セザンヌの成果が色彩やテクスチャーよりも線的な構造にあったのではないかと述べている。

実はリキテンスタインも、この事態に対して異なる角度から言及していた。とあるインタビューの中で、リキテンスタインは「（複雑な画面構成が強みのセザンヌから）輪郭だけを取り出して「セザンヌ夫人」と呼ぶことは、それ自体がユーモラスではありませんか」[17]と批判的に語っているのだ。

たしかに、リキテンスタインの述べるようにローランのダイアグラムは「単純化し過ぎ」であるとのそしりを免れるものではない。しかし、グリーンバーグが「リニア・ストラクチャー」という言葉で示唆したように、セザンヌの作品には、色彩を削ぎ落としてもなお維持される構造があったことともまた事実である。ローランがダイアグラムで示そうとしたものは、第一に、非色彩的で構造的なダイナミズムにあった。

たとえば、セザンヌの《ジャス・ドゥ・ブッフォン》のダイアグラム〔図19〕を軸に、セザンヌ作品のカラー・イメージとモノクロ・イメージ〔図20〕を比較してみれば、そこでは色彩が失われてもなお、ダイアグラムが示す三次元効果（奥に向かって延びていく感覚）や二次元効果（視線が画面手前に回帰してくる感覚）が失われていないことがわかる。

興味深いことに、この構造は「情報を線に還元すること」を標榜したリキテンスタインの関心とも一致するものだった。リキテンスタインとグリーンバーグの違いを述べるとするならば、リキテンスタインは「情報が線に還元」された結果、絵画において言語的な伝達機能／反復可能性が高まることを期待していた。それに対してグリーンバーグは、色彩が失われてもなお損なわれない効果、すな

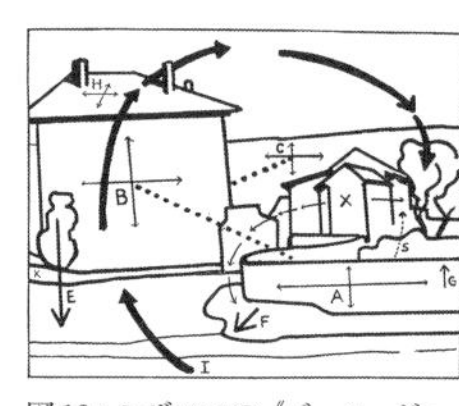

図19：セザンヌの《ジャス・ドゥ・ブッフォン》をもとにしたローランのダイアグラム（『セザンヌの構図』94頁）

図20：ポール・セザンヌ《ジャス・ドゥ・ブッフォン》（1885–1887年、同前、91頁）

わち、触覚的な構造に関心を向けていた。それは換言するならば、セザンヌの作品やローランのダイアグラムを「彫刻的に見る」という視点を導入することである。

それはどういうことだろうか。まず一般的に、彫刻作品には色彩がない。これは歴史的に、彫刻を見る人々が、その表面の色彩よりも形体・量感・構造などに自然と目を向けてきたことを意味する。つまり彫刻の鑑賞者は、多くの場合、彫刻を色彩がないものとして捉えているのだ。さらにこうした事態は、絵画に当てはまることもある。たとえ作品に色彩が含まれていたとしても、その形体や量感や構造の感覚が前面に押し出されるという点でいえば、その状況は絵画においても発生しうるからだ。ローランがセザンヌ作品に見ていたのは、まさしくこうした次元における知覚の動きだった。

視覚と触覚の対立

それでは、彫刻的な次元においてはどのような鑑賞がおこなわれることになるのだろうか。ここで確認しておきたいことは、リニア・ストラクチャーが「線／色彩」「彫刻／絵画」といった二項対立に関わるものであるということだ。それだけでなく、これらの対立はローランが述べるところの「二次元性／三次元性」の対立にもパラフレーズされる。そこでこの二項の関係についても考察してみることにしよう。

美術史の世界でこの二項対立に認識論的な視座から先鞭をつけた人物は、美術史家のアロイス・リーグル（1858―1905年）だった。リーグルは、古代エジプトから末期ローマへと至る美術の発展法則を考察した『末期ローマの美術工芸』[18]（1901年）を主著とするウィーン学派の創始者である。彼の研究では、特定の時代から異なる時代の美術を評価することの難しさが説かれ、美術作品を普遍的に経験可能な知覚の枠組みの中で考察することが勧められた。そうした前提のもと、ここではリーグルが『末期ローマの美術工芸』で「二次元性と三次元性」に先駆けて提起した議論に着目してみたい。少し長くなるが、以下にその要旨を紹介することにしよう。

まず、人間は外界を把握する際に感覚器官としての眼球に最も強く依存している。しかし、視覚は対象の表面の情報は認識できるものの、それが透過的な物質であるのか、非透過的な物質であるのかを区別することはできない。そこで、外界の客観的な情報を得るために触覚が導入されることになった。人は触覚を通じてのみ、物体が非透過的な物質であることを認識することができるからだ。そしてその過程では、対象に近づいて触れるという行為が必然的に要請される。だがこのとき、人が直接触れることのできる面は表面のみであり、それは対象の部分でしかないので、人はその全体を把握するために触覚で得た情報を視覚に応用する必要性をもつようになった。

リーグルは、こうした知覚を触覚的視覚と呼んでいる。これによって、人は初めて空間全体をその場に居ながらにして把握できるようになった。ただし、そこには落とし穴もある。知識として得た触覚情報を統合する過程において、主観的で不確かな情報が混入してしまうからだ。このように、もともとは対象を客観的に把握するために触覚が導入されたにもかかわらず、人が統合的な情報を得る過程において、避けがたく主観的な情報と客観的な情報が入り混じる状況が出現するようになった。人が同じ対象を見ていても、その捉え方に個人差が生じてしまうのもこのためである。リーグルは、このような視覚と触覚の関係から、人類史における美術の「発展法則」を描き直そうとした。

ヒルデブラントの思考モデル

「視覚と触覚」の考察を美術史の舞台で展開したリーグルは、『末期ローマの美術工芸』で古代エジプトから末期ローマに至る美術の特徴を要約している。中でも古代エジプト美術は、ほかのどの時代の美術よりも対象を客観的に把握しようとしていたという点にその特徴があるという。

まず古代エジプト人は、可能な限り客観的な「触覚的経験」にもとづいて制作をおこなっていた。なぜなら、古代エジプト人の残した作品においては、短縮法や影の表現といった三次元／視覚効果が徹底して退けられており、これは表現から「主観的経験」を排除するための措置であったということができるからだ。この措置により、平面の表現においては輪郭が目立つようになったことも彼らの美術の特徴である。このような古代エジプト美術の知覚方式を要約するならば、「触覚的把握」、あるいは、ある程度までは視覚に頼らざるを得ないという意味で「近接視的把握」ということができる。これが、リーグルによる古代エジプト美術の解釈だった。

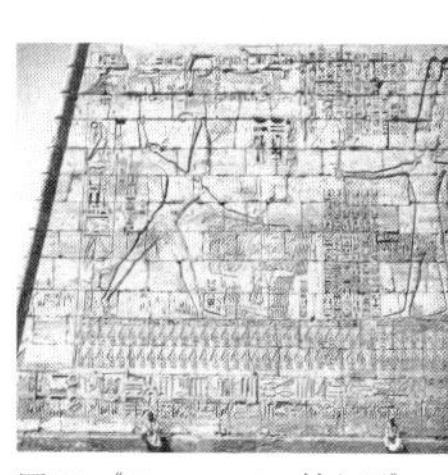

図21：《アメン・ラー神と王》B.C.1195–1165年頃（杉勇〔責任編集〕『大系世界の美術 第3巻 エジプト美術』1972年、120頁）

古代エジプト人が主観を退けるために避けた三次元／視覚効果は、その後、末期ローマ美術へと至る歴史の過程で少しずつ表現に登場するようになっていく。こうした考察から得られる認識は、リーグルの提起した対概念のモデル（視覚と触覚）と、ローランの提起した対概念のモデル（二次元と三次元）の類似である。

リーグルも言及しているように、この2つの知覚は、ドイツの彫刻家アードルフ・フォン・ヒルデブラント（1847―1921年）が提唱したモデル「視覚表象と運動表象」[19]を継承したものだった。歴史的に見てヒルデブラントは、コンラート・フィードラーやリーグルなど、美術史に対して認識論的な立場から記述を試みたという点で近いグループに分類されている。[20]この文脈はローランにも継承されており、リーグルに影響を与えたヒルデブラントの著作『造形芸術における形の問題』（1893年）をローランが肯定的に評価していたという背景[21]を確認することもできる。

このように、ともにヒルデブラントからの影響を受けていたリーグルとローランであるが、試みにローランによる《セザンヌ夫人の肖像》のダイアグラム〔図13〕と古代エジプト美術における《アメン・ラー神と王》〔図21〕を並置してみれば、その類似を指摘することもできるだろう。主なポイントは、（1）技法的な重点が輪郭に置かれていること、（2）色彩の効果が後退し、触覚性が強調されていること、（3）対象が近接視的に（手で触れるように）捉えられていることなどである。さらに、古代エジプト美術は純粋な「視覚」芸術というよりも、図式や言語的な機能を有していたという点でも、リキテンスタインが好んだような意味でのダイアグラムに近い機能を有していた。

主観の介在

ここで再確認しておきたいのは、リーグルが古代エジプト美術の知覚を、ある程度は視覚に頼らざるを得ないという意味で「近接視的把握」と呼んでいたことだ。そこでは、世界をできるだけ客観的に記述しようとした古代エジプト美術でさえ、主観的な情報の介入を避けられなかったことが示されている。それと同じくローランのダイアグラムにおいても、セザンヌの原画にもとづく客観的な情報のうえに、構造線に代表される主観的な情報が介在していた。そこでまず、この2つの客観／主観的な情報を腑分けする作業をおこなってみたい。

図22は、風景ダイアグラムを透過させたうえで、セザンヌの原画に重ねた図解である。中央上方で重なる2つの面〔図23〕や画面右下の面〔図24〕、画面左下の矢印に隣接する面〔図25〕などに見られるように、ローランのダイアグラムでは、セザンヌの原画からの拡大・縮小や位置の調整などといった「再構成」がおこなわれていた。こうした再構成は、ローランのダイアグラムにおいては大小さまざまなレベルで観測することができる。つまりそこでは、主観的な構造線や矢印のみならず、その「分析」の過程においても、客観的な情報と不可分なレベルで主観的な情報が混入しているのだ。

同様の事態は多くのダイアグラムで観測できるほか、中には原画の図柄が変形してしまったように見えるものさえある。しかしそのことによって、ダイアグラムには造形的な統一感が加えられており、

図22：セザンヌの原画とローランのダイアグラムを重ねた図解（『セザンヌの構図』200–201頁）

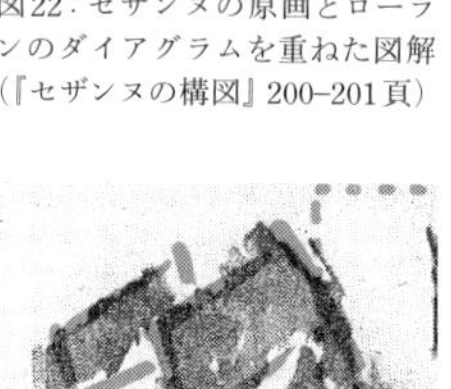
図23：中央上方で重なるふたつの面（部分、同前）

図24：画面右下の面（部分、同前）

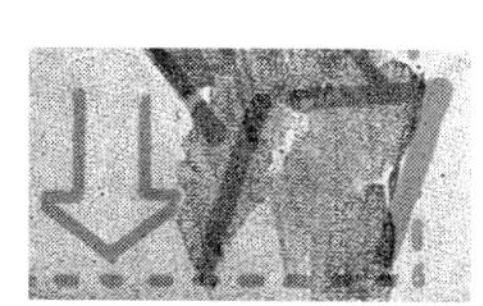
図25：画面左下の矢印に隣接する面（部分、同前）

ひと目見ただけでは、こうした主観と客観のレイヤー構造には気づきにくい〔図26・27・28〕。

ここでひとつの仮説を立ててみたい。もし、ローランのダイアグラムにおける主観的な情報に何らかの「意味」があり、その客観的情報とともに注視されるべき対象であるとするならば、ローランの試みを「セザンヌ分析」というフレームだけで理解することに無理が生じてくるのではないだろうか。だがそれと同じ意味で、（ローランの言葉に則るならば）単に「制作（＝作品）」と呼ぶことも「教育（＝教材）」と呼ぶこともまた十分ではない。それでは、私たちはローランのダイアグラムをどのように捉えるべきなのだろうか。

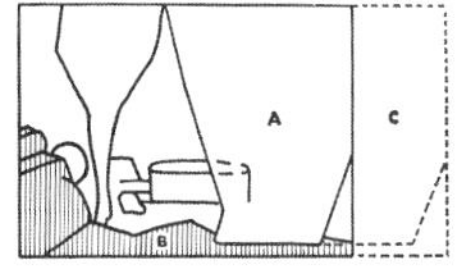

図26：ローランのダイアグラム（同前、113頁）

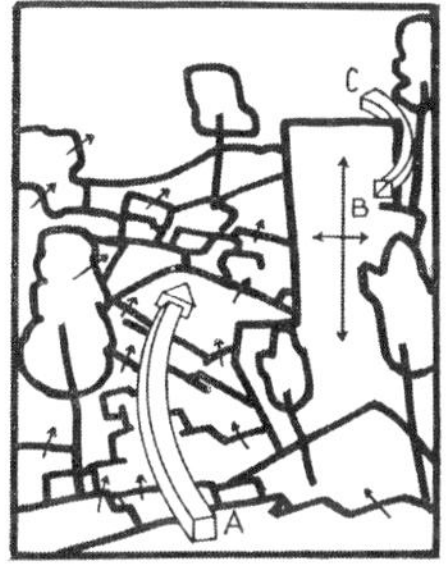

図27：ローランのダイアグラム（同前、183頁）

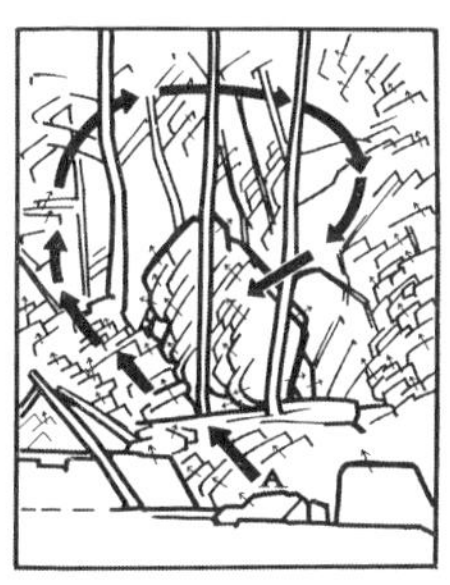

図28：ローランのダイアグラム（同前、123頁）

神秘的なもの

このような構図の要素の厳存のみが究極的意味における芸術的重要性を決定するのであるなどと教えるのは、将来性のない現代的アカデミー作家たちのみであろう。美術は、幸いにして、もう少し神秘的なものである。私は、セザンヌに見出されるような構図の問題は、あらゆる種類の美術教育の初歩的基礎となるべきであると高唱したいのである。[22]

美術史におけるローランの功績は、グリーンバーグに連なる還元主義の流れに先鞭をつけるものとして評価されている。しかし、その中で歴史化されずに後景化しがちだったのが、本論で言及した「主観」にもとづく情報だ。セザンヌ分析という観点から見ると、その明快な切り口が注目される一方で、その暴力的な「単純化」が批判されることも少なくはない。しかしそうした批判もまた、ローランの分析を「客観的なもの」へと還元しようとしたという点で不十分であるだろう。

これまでに本論では、作家による作品分析が激しくドライブすることによって生じる事態について考察してきた。そこから少しずつ明らかになってきたのは、主観と客観、絵画と彫刻、視覚と触覚、二次元と三次元など、異なる次元の知覚/形式が同一平面上で共存することによって、両極に引き裂かれながらも均衡を保った秩序が生まれうるということだった。そうした均衡の背後にある張力こそが「創造的な制作、教育、批評」にとって必要不可欠な要素であり、ローランが客観的な分析の中に敢えて主観的な情報を織り交ぜることによって可視化した、ローランもしくはセザンヌの『神秘性』だったのではないだろうか。

1 Erle Loran, *Cézanne's Composition: Analysis of His Form with Diagrams and Photographs of His Motifs*, California: University of California Press, 1943（アール・ローラン『セザンヌの構図』内田園生訳、美術出版社、１９５３年）.

2 Erle Loran, "Cézanne's Country," *The Arts*, 8, April 1930.

3 ローランは次のように述べている。「我々は、絵画の全歴史を通じての「不変数」とも言うべき幾つかの基本的原則を理解していない。名画の中にしばしば見出される原則を名画の基礎として認めれば、制作も教育も批評もずっと信頼できるものとなるであろう。この書物にセザンヌの図解を提示したのは、この方向に向っての努力であり、この原則が多くの異った時代に当てはまることを確信しているからである」（ローラン『セザンヌの構図』27頁）。

4 ローラン『セザンヌの構図』29頁。

5 同前、68頁。

6 同前、47—49頁、91—95頁、98—１０１頁、１５８—１６１頁、１６６—１６９頁など。

7 原著では「three-dimensionality conceived in relation to the two-dimensionality of the picture plane」と記されている

（67頁）。

8 同前。

9 同前、78―79頁。

10 同前。

11 Ferus Gallery, Los Angeles, California, April 1–27, 1963.

12 Erle Loran, “*Cézanne* and Lichtenstein: Ploblems of “Transformation”,” *Artforum*, 2, September 1963, pp. 34–35.

13 Erle Loran, “Pop Artists or Copy Cats?,” *ARTnews*, 62, September 1963, pp. 48–49, 61.

14 Roy Lichtenstein, “quoted in John Coplans, Roy Lichtenstein: An Interview,” *Roy Lichtenstein, exhibit. cat.*, Pasadena Art Museum, 1967.

15 著者からのインタビューによるリキテンスタイン本人の言葉：Lawrence Alloway, *Roy Lichtenstein*, Cross Liver Press, 1983（ローレンス・アロウェイ『ロイ・リキテンスタイン』高見堅志郎・坂上桂子訳、美術出版社、１９９０年、１１０―１１１頁を参照）。

16 Clement Greenberg, “The Art of Cezanne,” *The Nation*, Dec. 29. 1945.

17 Carol Anne Mahsun, “The Issue of Transformation,” *Pop Art and the Critics*, UMI Research Press, 1987, pp. 56–58.

18 Alois Riegl, *Die Spätrömische KunstIndustrie nach den Funden in Österreich-Ungarn in Zusammenhange mit der Gesammtentwichlung der bildenden Künste bei den Mittelaltervölkern*, Wien: Druck und Verlag der kaiserlich-königlichen Hof-und Staatdruckerei, 1901（Alois Riegl, *Late Roman Art Industry*, translated by Rolf Winkes, Giorgio Bretschneider Editore, 1985〔アロイス・リーグル『末期ローマの美術工芸』井面信行訳、中央公論美術出版、２００７年〕）.

19 Adolf von Hildebrand, *Das Problem der Form in der bildenden Kunst, Straßburg:* Heitz, 1893（アードルフ・フォン・ヒルデブラント『造形芸術における形の問題』加藤哲弘訳、中央公論美術出版、１９９３年）.

20 同前、181―185頁および、井面信行「フォルムと様式――A・ヒルデブラントとA・リーグル」(『美學』126号、美学会、1981年)などを参照。

21 ローランはヒルデブラントについて以下のように述べている。「ミュンヘンの画家兼彫刻家アドルフ・ヒルデブラントの著した『絵画と彫刻における形体の問題』〔……〕は、過去の巨匠たちの研究にもとづく彼の構図の概念を徹底的に解明している。〔……〕ヒルデブラントの原則は、セザンヌについては一般によく当てはまるのである。実際にセザンヌの画のモティーフの写真と画の図解とを比較すれば、ヒルデブラントの解明した基礎的な空間理論を確認することができる」(ローラン『セザンヌの構図』25―26頁)。

22 ローラン『セザンヌの構図』206頁。

バルテュスを読む

「象徴的遺産の番人」の誕生

あるときバルテュスは、強い口調で次のように語っている。「現代芸術と称することをしているのは大半が愚か者で、絵について何も知らない芸術家である」[1]。同時代の美術を全面的に否定し、初期ルネサンスの宗教画を理想と仰ぐバルテュスの強い身振りは、いかなる要請のもと発せられていたのだろうか――。

1908年2月29日、バルタザール・クロソウスキー・ド・ローラ（通称：バルテュス）はパリで生まれた。画家・美術史家でポーランド貴族の血を引く父、エリッヒ・クロソウスキーと、画家の母、バラディーヌのもとに生まれ、兄には小説家・画家のピエール・クロソウスキーがいた。ポーランドにルーツをもち、フランスで生まれ、両親はドイツ国籍というヨーロピアンな出自からバルテュスの人生は始まることとなる。

その物語が最初に動き出したとき、バルテュスはまだ6歳だった。1914年、第一次世界大戦の勃発にともない、ドイツ国籍だった一家の財産は差し押さえられ、パリからベルリンへと亡命することとなった。そこに追い打ちをかけるようにして、3年後には両親が別居し、少年は母に連れられてベルン、ジュネーブへと転居する。その後も一家の流浪は続き、21年には伯父らとのベルリン生活が再開したかと思うと、2年後には母と再びスイスへと戻ることになった。目まぐるしい生活の中にいたバルテュスを支えたのは、当時彼の身近にいた芸術家たちだった。

両親の別居が始まったころ、母と恋愛関係にあった詩人のライナー・マリア・リルケがバルテュスと初めて対面している。当時11歳だったバルテュスにとって、その出会いは「わが人生重大事件のひとつ」[2]と語られるほどのインパクトをもっていたようだ。その出会いを象徴する出来事として、バルテュスが愛猫を描いたイラストが、リルケの推薦により画集『ミツ』として刊行されたことがある。1921年、そのときバルテュスはまだ13歳だった。

16歳になると、バルテュスは絵画修業のため単身パリへと移ることになる。親の紹介により、ピエール・ボナール、モーリス・ドニ、アンドレ・ジッド、アルベール・マルケなどと交流する機会を得、彼らのアドバイスのもと、ルーヴル美術館でプッサンの模写に勤しみ、イタリアでピエロ・デッラ・フランチェスカからの作品を模写することとなる。美術学校に通うことのなかったバルテュスにとって、この時期の模写経験はその後の画業を決定づける原体験になったようだ。

1934年、26歳になったバルテュスはパリのピエール画廊で初個展を開催した。自身が「昔は人々にショックを与えるのを面白く思いましたが、今ではそれも退屈にしか感じられません」[3]と語る

図1：バルテュス《街路》（1933年）

ように、この個展では女性器を露わにした《ギターのレッスン》（1934年）がカーテン越しに展示されたり、謎めいた静寂感から鑑賞者の好奇心を掻き立てる《街路》（1933年）［図1］が展示されたりするなど、センセーショナルな話題づくりが狙われていた。しかし、この展示では作品が1点も売れず、批評家からは無視され、友人のアントナン・アルトーが例外的に批評をおこなっただけだった。[4]

だが、そうした不遇のデビューも後年になると伝説化されることとなる。たとえば、先ほども触れた「《街路》（一九三三年）が、ブルトンその他に注目され」[5]「一挙に画家の名声を確立した」[6]といった具合だ。しかし実情は先述の通りで、「おおむねパリの美術ジャーナリズムからは黙殺され〔……〕新聞は展評をさし控えるか、バルテュスの意図を愚弄するかした」[7]とのことだ。

バルテュスの周りを囲むテクストを見渡せば、その多くは、文学的な修辞で過剰に満たされていることがわかる。たとえば、バルテュスの描く人物は「まさに一枚の鏡を透かして、一種の魔法の力で、永久にではなく五分の一秒間、過ぎてしまえばまた動き出すようなほんの束の間だけ石と化した」[8]ようであるとか、彼が描く街路には「数たちの棲処の虜囚となった全実在界が、突如として逃亡してしまった」[9]などといった具合だ。さらにバルテュスという人物については「秘儀を伝授する、祭司のような、時が芸術の堆積を固めた象徴的遺産の番人」[10]とまでいわれ、その芸術を語るうえで「舌足らずな言葉で僭越にもあなたの芸術を論じてしまった非礼」[11]の許しが請われる始末である。この明らかに行き過ぎた賛辞は、作家の実態からかけ離れたプロモーションであるというべきだろう。

フランス文学者の阿部良雄によると、バルテュスに対する言説は1934年のアルトーのテクストに端を発し、66年にパリの国立装飾芸術美術館で個展が開かれたころを境に増加傾向をたどっていったという[12]。そこで本論では、バルテュスが「象徴的遺産の番人」とまでいわれるようになった経緯をたどるとともに、ひとりの画家のパブリック・イメージがいかにして神秘化されていくのか、その過程を分析してみたい。

批評のパターン

ピエール画廊で発表された《街路》は、最も頻繁に言及されるバルテュス作品のひとつである。そこで、まずは《街路》をめぐる言説を紐解く作業から始めてみよう。

まずその人物表現に対しては、これまでに以下のような言及が繰り返されてきた。そこに描かれた人物は「束の間だけ石と化した」（アルベール・カミュ）、「不動のパントマイム」（ピエール・クロソウスキー）を演じており、彼らの姿態からは「運動感の束の間の欠如」（澁澤龍彦）が感じられる。彼らが立つ舞台は、さながら「街頭の黙劇」（峯村敏明）のようで、その空間にはまるで「時間の停止、あるいは運動の停止」（太田省吾）が襲いかかっているようだ。それは「フィルムのストップ・モーション」（森口陽）のように「画面のしずけさ」（與謝野文子）を湛えている。ここでは第一に、バルテュスの身体描写を語る際に、姿態の静けさにかんするメタファーが飛び交っていることを確認しておこう。

第二に、作品の演劇性については以下のような言及が繰り返されてきた。ジャン・クレールによると、バルテュスの作品を見る際には「観客とタブローとの関係が逆転し、観客が、自分は人物を見ている人なのではさらさらなく、自分自身、人物から見られる人であり、自らの魅惑の対象そのものであることに、ふと気がつく」[13]。それに対して太田省吾は、バルテュスの絵画世界を「社会の中の王国であり、そこでの祝祭は規範の中の祝祭」[14]であると述べ、その絵画空間の閉鎖性が示唆されている。渡邊守章は、そこに「〈見せる意識がなくて見せている〉から〈見る側〉に生じる不思議な惑乱」があるといい、これがバルテュスの好む古典絵画からの引用、すなわち「本歌取り」であると指摘する[15]。いずれも、バルテュス作品の演劇性にかんする視点であり、その論点は如月小春のエッセイで詳しく展開されていくこととなるが、それについては後述しよう。

ここで少しだけ横道に逸れるならば、バルテュスは当初、美術よりも演劇の世界で広く受け入れられていた。望んでいた結果を出すことのできなかった初個展の半年後、演出家・バルノフスキーが手がけるシェイクスピア劇『お気に召すまま』の衣装と舞台美術を担当したのだ。この仕事は演劇界で高く評価されることとなり、ジャン・シュランベルジェは「昨日まで無名だったバルテュスは今回の制作で演劇の舞台美術家としての地位を獲得した」[16]とまで述べている。「舞台美術家・バルテュス」の活躍はさらに続く。翌年には、アントナン・アルトーの『チェンチ一族』でも衣装と舞台美術を手がけ、その後も1948年、50年、53年、60年と立て続けに舞台の仕事を発表している。

その活力もさることながら、舞台の造形も興味深い。1948年の『戒厳令』で発表された装置は、まさに舞台上に建つ建築そのものであった。構想スケッチを見ると、その舞台がバルテュスの描く「街路」と似ていることがわかる。中央に消失点が置かれることで奥行きが強調された空間は、バルテュス作品で表現される箱庭的な空間と酷似しているのだ。

さらに舞台上の登場人物は、「ほんの束の間だけ石と化した」人々に対応しており——何よりも、その言葉を発したのが『戒厳令』の監督・カミュだった——その印象はバルテュス絵画の文学性と地続きである。画中の人物が「書き割りのように分割された背景に精確にはめ込まれることによって、全体としては演劇の舞台に転化」(河本真理)しているといわれた《街路》の続編にあたる《コメルス・サンタンドレ小路》(1952—1954年)が、この「舞台の時代」に描かれていたことも見逃すべきではない。バルテュスの絵画と舞台の間には、確かに相補的な関係が認められるのだ。

そして再び話題をバルテュス評に戻せば、そこで繰り返し指摘されていた第三の傾向として、技巧にかんする話題を挙げることができる。イヴ・ボヌフォワは《街路》における「開かない窓とか、ありえない看板とか、つじつまの合わぬ遠近法とか」を指して「ぎくしゃくして険しい〔……〕非現実性」と述べている。[17] また岡田隆彦によると、「バルテュスの作品は、ときには稚拙さと見紛うほど念入りに描かれて」おり、「人物像には、どこかぎこちないところがある」。それは「動作の瞬間的な状態が説明ぬきでそのまま提示されているだけに」「時間が凍結して空間が黙したままであるような感じが強まる」と、先の静けさをめぐる言及に通じる内容だ。[18] これらの指摘は、やがて松野敬文が展開することになるバルテュスの「稚拙さ」をめぐる分析を導くこととなる。そこでまずは、松野による議論の内容を概観してみよう。

バルテュスの「稚拙さ」

松野による論文「バルテュス《街路》における人物像と空間表現――『稚拙さ』という見地から」(2006年)[19]は、そのタイトルにもある通り、バルテュス作品の「稚拙さ」あるいは(松野の言葉を借りれば）「下手くそさ」に「画家としての独自性」を見出すことを主眼に置いたものだ。[20] そのためにおこなわれている作業は、可能な限りリテラルにバルテュス作品の造形を分析するというものである。

まず、松野は《街路》の画面左側で女に襲いかかろうとする男の左手に塗られた色彩と、右手に塗られた色彩が著しく異なっていることを指摘する〔図2〕。さらに、襲われる女の左腕が胴体より幾分下に配置されているため、肩と繋がっていないように見えるという〔図3〕。また、男女の足もとに立つ子どもの脚は、長過ぎるために子どもの脚には見えない〔図4〕。さらに極めつけとして、画面の中央を横切る白服の男が担いでいる物体〔図5〕は「それらしき色味が加味されているだけ」で質感が感知できず、形体も「立体なのか平面なのか」「一枚板か合板かパンなのかさえ解らない」[21]。

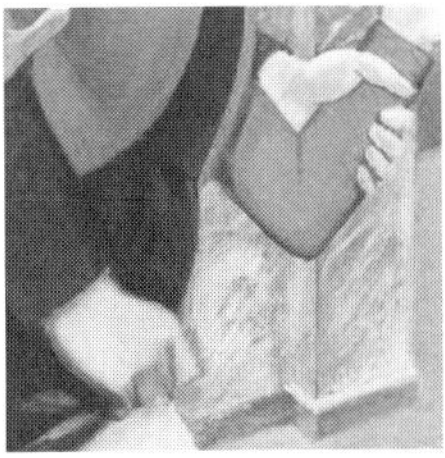

図2：バルテュス
《街路》（部分、暴漢の手）

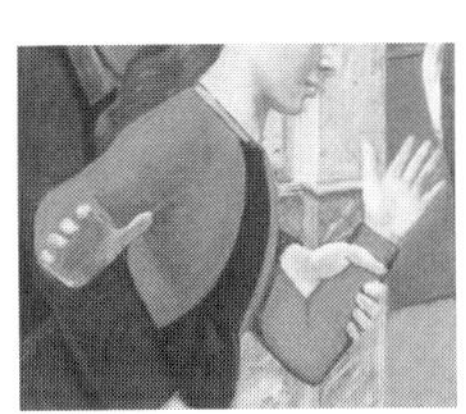

図3：同前（部分、女の肩）

図4：同前（部分、奇妙な子供）

図5：同前（部分、不可解な物体）

図6：同前（部分、足下）

図7：バルテュス《コメルス・サンタンドレ小路》（1952–1954年）

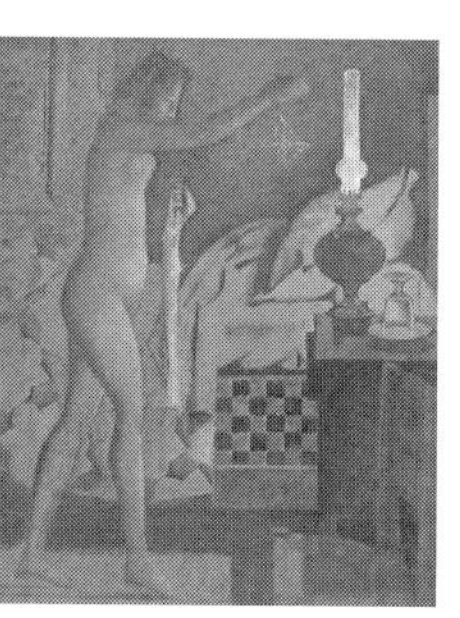
図8：バルテュス《蛾》（1959年）

続けて、《街路》における遠近法の狂いと登場人物の「むくんだ足」については、この作品で用いられている遠近法が「1点透視図法というごく初歩的なものであるにもかかわらず、明らかな誤謬を有する」[22]という。「《街路》は、1点透視図法でも、2点透視図法でもない、二重の1点透視図法という誤謬によって成されたタブローであり」、そのため「《街路》は街路にみえない」[23]。

ここで見過ごすことができないのは、この誤謬は先ほど触れた男女の周囲に密集しており、それによって鑑賞者の視点が彼・彼女らに集中するように意図的に仕掛けられたとも考えられることだ。[24]つまりこの「稚拙さ」は、観客の視線を集めて謎めいた印象を与えるという意味で、松野のいう「独自性」として検討されうるということである。

さらに、バルテュスの支持者が繰り返し述べてきた「姿態の運動感のなさ」も、松野にかかれば明け透けもなく記述されてしまう。人は歩行する際に踵から着地するため、歩いている人はつま先が浮いた状態で描写するのが自然である。しかしバルテュスの場合、《街路》〔図6〕にしても《コメルス・サンタンドレ小路》〔図7〕にしても《蛾》（1959年）〔図8〕にしても、いずれの人物もつま先が地面についた状態で描かれている。そのため彼らは「歩いているというよりも、踏みとどまっているかに見える」[25]。どの作品でも例外なくつま先が着地しているが、自らを「職人」と呼び[26]、シエナ派を理想として掲げていた[27]バルテュスにとって、この「稚拙さ」はいかなる意味をもつのだろうか。

演技の沼

バルテュス作品における身体の稚拙さについて考えるうえで、劇作家・如月小春の《街路》評を紹介しておきたい。

この不思議な（しかし、ごく日常的な）絵の登場人物たちは、皆、無表情で、それぞれのやるべきことを淡々とこなしているのみだ。にもかかわらず、どうだろう、この絵にみなぎっているのは、恐ろしいほどの緊迫感である。私が特に、今にも暴れ出すのではないかと感じて恐ろしいのは、中央を横切る白い男である。この男の顔は木箱にかくれていて見えない。顔のない男が、画面を横切るだけで、何故こんなにスリリングになるのだろう。それは構図のマジックであると同時に、登場人物たちの姿勢が孕む緊張感のせいではなかろうか。[28]

この如月の論点に松野の分析を繋げてみると、如月のいう「姿勢が孕む緊張感」とは、歩行している男のつま先が地面から離れていないことによって「歩いているというよりも、踏みとどまっているかに見える」ことと同じ状態を（違う表現で）指していると考えられる。では、それは画家の意図した「緊張感」なのか、意図されざる「稚拙さ」なのか、どちらなのだろうか。以下は如月によるバルテュス《山（夏）》（1937年）評である。

> 私には、ここに描かれている人物たちが、俳優に見えてしかたがない。手を上にあげている女も、パイプをくわえた男も、横たわる、太股（ふともも）から下をむき出しにした女も。姿態が、全く自然ではないのである。自然を装っているけれども、その実、身体のすみずみにまで神経をめぐらせて、どこを見られても、その「役」になりきっているように見えるよう、工夫に工夫をこらした俳優の身体。

無理に自然さを装う時の不自然さがつくりだす身体の緊張は、誰しも経験があるだろう。

〔……〕バルテュスの絵の中には、こうした緊張感が充ちているのだ。そして、この自然さを装う不自然な身体たちのおかげで、街路や、室内といった、一見何の変哲もない風景が、不穏な空気を漂わせはじめるのだ。[29]

〔傍点引用者〕

「自然さを装う不自然な身体」という指摘は、バルテュス作品の身体がどこまでも払拭しがたい疑わしさを備えているのではないかという疑問符を投げかけている。それは「うがった見方をすれば、街路も人々も、それが不自然だということをわかってやっているんじゃないか、と思えてくる。つまり、自然さを装う不自然さをも、装っているのではないか[30]」ということだ。

「演技か否か」という疑いは、そのまま「緊張感か稚拙さか」という疑いにもパラフレーズされる。「自然さを装う不自然な身体」に対する疑いは、次第に「自然さを装う不自然さを装う自然な身体」へと遡行し、さらには「自然さを装う不自然さを装う自然さを装う不自然な身体」へと際限なく遡行し続ける。人々がバルテュス作品に神秘性を見出してしまうことの背景には、この無限に遡行し続ける疑いが存在するのではないだろうか。

そのとき問題となるのは、私たちがいかにして「疑い」に見切りをつけるかということである。如月の述べるように、「何故、彼等がそんなことをしてみせようとしたのかが、気になってたまらない。こんなにわざとらしい格好をしてみせるからには、何か意図や意味が隠されているのではと考えるのが人情[31]」なのである。そして、私たちがどこで見切りをつけるか次第でバルテュスの絵の見方は大きく変容することになる。そこに描かれた身体が自然であるか不自然であるかという問いは、その絵が巧みなものか稚拙なものかを分かつ分水嶺になるのだ。

しかし、問題はそれだけではない。こうした「疑い」は、バルテュス作品に描かれた身体が「演技であるか否か」というメタフォリカルな次元を超えて、バルテュスという作家主体が「演技であるか否か」というフィジカルな次元へとパラフレーズされていく。バルテュスの作品に対して、できるだけリテラルに対峙した松野によって、バルテュスの描く人物が「束の間だけ石と化した」わけではなく、単に「下手くそ」であったと喝破されたように、バルテュスという人物に対しても、リテラルに対峙することによって、それが「象徴的遺産の番人」ではなく、三文役者であったと喝破される日がくるかもしれない。そこで、バルテュスの周りを取り囲む別次元の言説、つまりその「芸術家像」にかんする言説に対して、可能な限り文字通り（リテラルに）接近してみることにしよう。

バルテュスの画業の中で最も頻繁に引き合いに出されているエピソードのひとつがピカソとの出会いだ。この逸話では、バルテュスの《子供たち》（1937年）をピカソが購入したことが繰り返しアピールされている。しかし、それ自体はピカソという有名性に依拠したマーケティングの域を出ない。にもかかわらず、バルテュスを語る際には驚くほど安易且つ常套的に、こうした語りが再生産されてきた。具体的な例を挙げれば、「プリュドンを思わせる」（ピエール・クロソウスキー）とか「ブルネレスキ風の調和（ハーモニー）」（イヴ・ボヌフォワ）とか「オリエントの秘儀を、ビザンチウムを、エジプトを思わせる」（ジャン・クレール）などときりがない。

さらにバルテュス自身も、こうした言説を積極的に生産してきた。その具体例を示すために、バルテュスの発言が数多く収められた『バルテュス、自身を語る』[32]を紐解いてみよう。試みに、この書籍の中で画家が好意的に名前を挙げる人物を列挙してみると、次のような結果となる。

アルベール・カミュ、アルベール・マルケ、アルベルト・ジャコメッティ、アントナン・アルトー、アントニ・タピエス、アンドレ・ジッド、アンドレ・ドラン、アンドレ・マルロー、アンリ・マティス、アンリ・ミショー、ヴィクトル・セガレン、ウジェーヌ・ドラクロワ、ウィリアム・ブレイク、オノレ・ドーミエ、カミーユ・コロー、ギュスターヴ・クールベ、クラナッハ、クロード・モネ、クロード・ロワ、シモーネ・マルティーニ、シャガール、シャルダン、ジャン・ギトン、ジャン＝ジャック・ルソー、シューベルト、ジュリアン・グラック、ジョアン・ミロ、ジョヴァンニ・ベリーニ、ジョット、ジョルジュ・バタイユ、ジョルジュ・ブラック、ジョルジュ・ルオー、ニコラ・プッサン、ニコラ・ボアロー、バッハ、パブロ・ピカソ、ハンス・ホルバイン、ピーテル・ブリューゲル、ピエール・ジャン・ジューヴ、ピエール・ド・マンディアルグ、ピエール・ボナール、ピエロ・デッラ・フランチェスカ、フェデリコ・フェリーニ、フェルメール、フラ・アンジェリコ、ブレーズ・パスカル、ベラスケス、ポール・セザンヌ、ホフマン、マサッチョ、マゾリーノ・ダ・パニカーレ、マリー・マドレーヌ・ダヴィ、ミケランジェロ・ブオナローティ、モーツァルト、モーリス・ドニ、モーリス・ブランショ、ライナー・マリア・リルケ、ラミュ、ルイ＝ルネ・デ・フォレ、ルイス・キャロル、ルートヴィヒ・ティーク、ルネ・シャール、ルネ・ドーマル、ル・ナン、レンブラント・ファン・レイン、ロレンツェッティ　〔五十音順〕

現代美術を否定し「抽象芸術は芸術の終焉です[33]」とまで喝破する一方で、自身の正統性をアピールするためには、徹底した権威づけをおこなう画家の姿が浮かんでくる。

1967年のテートでの個展の際、バルテュスはカタログ冒頭に「バルテュスについては何も知られていない」と書き記すように指示していた。[34] バルテュスやその支持者たちによる徹底した神秘化を遠ざけ、醒めた視線でその「マーケティング」を直視すれば、私たちはまず、バルテュスをとりまく言説のすべてをフィクションとして受け取るようになるだろう。するとそのとき、その意味においては文字通り、私たちはバルテュスのことを何も知らなかったという状況が生まれるのである。その醒めた視点から、バルテュスがカタログに短文を追加するように指示したという意図を想像してみること——そうすることで初めて、私たちはバルテュスと本当に出会うことができるのかもしれない。

1　バルテュス／アラン・ヴィルコンドレ『バルテュス、自身を語る』鳥取絹子訳、河出書房新社、２０１１年、20頁。

2　コスタンツォ・コスタンティーニ編『バルテュスとの対話』北代美和子訳、白水社、２００３年、15頁。

3　ジル・ネレ『バルタザール・クロソウスキー・ド・ローラ・バルテュス』Onda-Küster Kyoko 訳、タッシェン、２００６年、14頁。

4　Antonin Artaud, "Exposition Balthus à la Galerie Pierre." *La Nouvelle Revue Française*, no. 248, May 1. 1934, pp. 899–900.

5　澁澤龍彥「危険な伝統主義者」『みづゑ』美術出版社、１９６８年12月、77頁（阿部良雄・與謝野文子編『バルテュス（新装復刊）』白水社、２００１年、18頁）。

6　ピエール・ジャン・ジューヴ『夢とエロスの構造』谷口正子訳、国文社、１９９０年、１１０頁。

7　種村季弘「永遠に通過する画家」『アート'84』１０８号、マリア書房、１９８４年10月（阿部・與謝野編『バルテュス（新装復刊）』124頁。

8 アルベール・カミュ「忍耐強い泳ぎ手」田中淳一訳、阿部・與謝野編『バルテュス（新装復刊）』156頁。

9 Yves Bonnefoy, "L'invention de Balthus," *Mercure de France*, vol. 329, March 1956, pp. 402–417（イヴ・ボヌフォワ「バルテュスの発明」阿部良雄訳、阿部・與謝野編『バルテュス（新装復刊）』178―199頁）.

10 フェデリコ・フェリーニ「バルテュスの教え」北村陽子訳、『ユリイカ』1994年9月号、青土社、1994年、203頁。

11 阿部良雄「ヴェネツィア滅ぶべき」阿部・與謝野編『バルテュス（新装復刊）』51頁。

12 阿部良雄によると、膨大なバルテュス評論のデータベースから1冊の論集を編纂するにあたり、「バルテュスの作品を前にしてわれわれの受ける刺激、抱く感嘆の念」を「何とか言い表そうとする」べく、また「そこのところにこそは成り立つべきだと思い定めた」ことを受けて、結果的に「文学者のないし文学的なテクスト」が大半を占めることを決断したという。事実、1934年に書かれたアルトーのテクストを皮切りに、詩人ピエール・ジャン・ジューヴの評論や詩、詩人エリュアールの詩、詩人ルネ・シャールのテクスト、文学研究者ジャン・スタロバンスキーの展評、劇作家アルベール・カミュのテクスト、実兄で小説家のピエール・クロソウスキーのテクストが、66年の国立装飾芸術美術館での個展までに後続することとなった。阿部良雄「あとがき」阿部・與謝野編『バルテュス（新装復刊）』219―220頁。

13 ジャン・クレール「バルテュス、あるいは輪廻」與謝野文子訳、阿部・與謝野編『バルテュス（新装復刊）』235―239頁を参照。

14 太田省吾「少女王国の帰趨」『美術手帖』1994年2月号、美術出版社、1994年、107頁。

15 渡邊守章「バルテュス、あるいは視覚の劇場」『みづゑ』1984年3月号、美術出版社、1984年、52頁。

16 クロード・ロワ『バルテュス――生涯と作品』與謝野文子訳、河出書房新社、210頁。

17 ボヌフォワ「バルテュスの発明」１８４頁。
18 岡田隆彦「普遍的で、いびつなかたち」阿部・與謝野編『バルテュス（新装復刊）』１１９頁。
19 松野敬文「バルテュス《街路》における人物像と空間表現――『稚拙さ』という見地から」『美学探究』21号、関西学院大学、２００６年３月、33―50頁。
20 同前、34頁。
21 同前、39―42頁。
22 同前、44頁。
23 同前、45頁。
24 同前。
25 同前、43頁。
26 バルテュス／セミール・ゼキ『芸術と脳科学の対話――バルテュスとゼキによる本質的なものの探求』桑田光平訳、青土社、２００７年、８頁。
27 コスタンティーニ編『バルテュスとの対話』26頁。
28 如月小春「バルテュスに出会うまで」『バルテュス（現代美術 第２巻）』講談社、１９９４年、74頁。
29 同前。
30 同前、75頁。
31 同前。
32 バルテュス／アラン・ヴィルコンドレ『バルテュス、自身を語る』鳥取絹子訳、河出書房新社、２０１１年。
33 バルテュス／ゼキ『芸術との脳科学の対話』22頁。
34 ロワ『バルテュス』６頁。

ＡＩ化するアーティストたち——佐村河内守論

ヤマガタ、ラッセン、佐村河内

美術家の中ザワヒデキと草刈ミカらによって発足された人工知能美学芸術研究会（ＡＩ美芸研）は、２０１９年に「Ｓ氏がもしＡＩ作曲家に代作させていたとしたら」という展覧会を開催した。21年には、同じテーマの書籍も刊行しており、同書には「Ｓ氏がもし人間の作曲家にではなく、ＡＩの作曲家に代作させていたとしたら、何がどのように問題か、またはあなたのようにスルーするのか」という謳い文句が掲げられている。ここでいわれている「Ｓ氏」とは、14年に「ゴーストライター問題」で世間を賑わせた作曲家の佐村河内守のことを、そして「人間の作曲家（＝Ｎ氏）」とは、佐村河内の名義で発表されていた楽曲を代作していた新垣隆のことを指している。

ＡＩ美芸研は、この問題を「Ｓ／Ｎ問題」と名づけている。ところで中ザワといえば、２０００年に「ヒロ・ヤマガタ問題」を提起した人物でもあるが（詳細は、第一部の「クリスチャン・ラッセンと日本」を参照）、筆者はこの問題に触発されるかたちで、12年に「ラッセン展」[1]を企画し、その翌年に同展をもとにした論集を刊行したという経緯がある。これらの問題にはいくつもの共通点があり、中ザワ自身も、その共通性については「音楽におけるヤマガタやラッセン」[2]として佐村河内の名前を挙げているほどだ。そして本論は、そんな中ザワからの依頼によって執筆が実現されたテキストでもある。

そこでまず問題の背景として、中ザワが2000年に提起した「ヒロ・ヤマガタ問題」において「ごく少人数からの嫌悪と、圧倒的多人数からの賞賛と感動と涙に包まれ」る存在として、ヤマガタとラッセンが位置づけられていたということを確認しておきたい。それに対して、中ザワが佐村河内の存在を初めて認識したのは13年の暮れのことで[3]、いわゆる「ゴーストライター問題」のきっかけとなった新垣による記者会見が14年2月におこなわれているので、ひとまずのところ、時系列的にはヒロ・ヤマガタ、ラッセン、佐村河内の順に並べられる。

図1：『「鬼武者」オリジナル・サウンドトラック　交響組曲「ライジング・サン」』のジャケット（2001年）

ところで、中ザワによる佐村河内への関心は、ヤマガタやラッセンの「音楽版」として佐村河内を見るという発想から生まれたものだった。そのきっかけになったのは、佐村河内が2001年に発表したCD『「鬼武者」オリジナル・サウンドトラック　交響組曲「ライジング・サン」』のジャケット・アートワーク［図1］である。そこでは、神々しい雲海をバックに、猛々しい武士のまたがる馬がいままさに駆け出さんとする格好で勇ましく立ちあがっている。中ザワはこのアートワークを見るや、「イルカが馬に置き換わってますが」「もろラッセンでした！」と興奮した様子でツイートしている。[4]とはいえひとつだけ補足しておけば、イルカを描いているイメージが強いラッセンも、実は馬を主題にした絵画を数多く発表している（《アラビアン・ナイツ》《ピースフル・モーメント》など）。つまり『鬼武者』とラッセンの類似は、その独特な絵づくり、すなわち過剰にドラマティックで演劇的な画面構成にあったと補足しておくべきだろう。

《赤い耳》の奇跡

佐村河内の『鬼武者』が興味深いのは、CDの解説書に横尾忠則がアートワークを描き下ろしで提供していることだ。ノンフィクション作家・神山典士（こうやまのりお）の著書によれば、アートワーク実現の経緯として、もともと横尾とは面識のなかった佐村河内がノーアポで横尾事務所を訪れ、本人に直談判して企画が実現したとされている。[5]作品のタイトルは《赤い耳》[6]（2000年）〔図2〕。当時の出来事について、横尾本人は次のように回想している。

「あの人が、あんなに話題になるずっと前。突然、現れたんですよ。髪が長くてサングラスで、マントのようなものを着て。『私は音楽家ですけども、耳が遠くてよく聞こえません。私の耳の肖像画を描いてほしい』と」[7]

「聴覚障害をもつ佐村河内守が紡ぎだす——奇蹟の音楽」という一文が添えられた《赤い耳》は、佐村河内が（のちに自身もその偽りを認めた）「全聾の作曲家」という虚飾に満ちたイメージを発信するために、佐村河内が「プロデュース」した作品としては最初期のものに位置づけられている（意外にも、それは音楽ではなく美術作品だった）。このアートワークをめぐっては、「耳」という主題が三木富雄の「耳」を主題にした彫刻作品を連想させるほか、「身体の断片化」という点では岡本太郎の《痛ましき腕》（1936年）のような作品も連想させる。

またさらに驚くべきことに、中ザワは千葉大学在学中に結成したバンド「耳から回虫」名義で、1982年に『アカイミミ』というタイトルのアルバムをリリースしている。もちろん、このアルバムのリリースは『鬼武者』に先行するものだ。その内容は「ステージで自転車を乗り回すメンバーがいるなど、そのパフォーマンスは視聴覚的な性格をもっている」ものでありながら、サウンドは「一定のトーンが次第に加速するように配置された〔……〕オブセッショナルで刺激的」なものだったようである。[8]

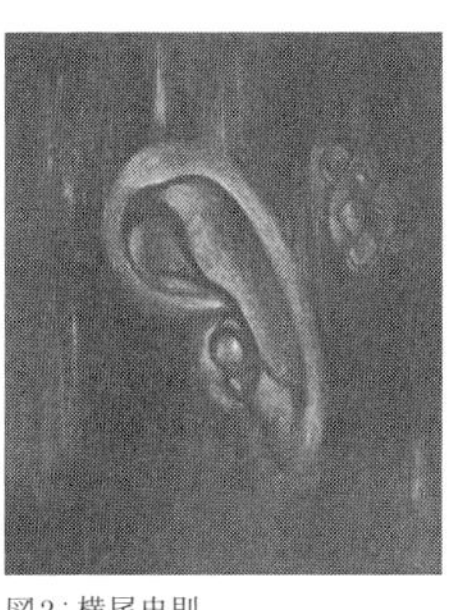

図2：横尾忠則
《赤い耳》（2000年）

このように、《赤い耳》はさまざまな因縁が渦巻く作品であるが、その原画は現在行方不明になっている。[9] 結局この作品は2020年に再制作されることとなり、京都市京セラ美術館で開催された「平成美術：うたかたと瓦礫(デブリ) 1989―2019」展のAI美芸研ブースで《S氏からN氏への指示書》などとともに展示されることとなった。

指示書は作品か？

ヤマガタ、ラッセン、佐村河内の問題には、数多くの興味深いエピソードが溢れているが、そもそも中ザワが提示した「ヒロ・ヤマガタ問題」から筆者が再提示した「ラッセン問題」、そしてAI美芸研が再々提示した「S／N問題」に至るまで、それらすべてには「創造」をめぐる根源的な問いが含まれている。そこでまず、ヤマガタ、ラッセン、佐村河内の共通点を整理してみたい。それは大きくわけて、次の3点に集約されるものだった。

（1）大衆（＝多数派）からの圧倒的支持
（2）業界（＝少数派）からの激しい嫌悪

(3) 芸術家像の虚像化

次に把握しておくべきは、佐村河内/新垣における作曲プロセスだ。作業にあたった新垣本人の回想によれば、それは次のように進められていたようだ。

> 私が音楽の断片のようなものをいくつか提示し、譜面を書き、ピアノに録音する。それを彼が聞き、彼がいくつか選んだ断片をもとに、あとは私が作曲、全体を構成する、というプロセスでした。[10]

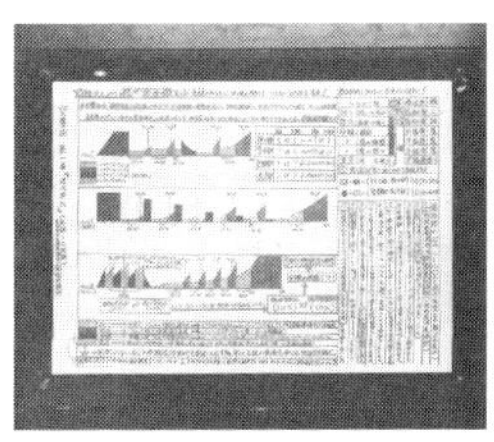

図3:「交響曲第一番『現代典礼』」の指示書(皆藤将撮影、椹木野衣・京都市京セラ美術館編『平成美術——うたかたと瓦礫 1989–2019』2021年、156頁)

その前段階では、佐村河内から図表や言葉などによる指示があり、それを足がかりに新垣が作業にあたったことも明らかになっている。たしかに「交響曲第一番『現代典礼』」の指示書[図3]を見てみると、それは素人目に見ると緻密で、凄みがあり、何らかのビジョンを提示しているようにも見える。さらに現代美術の領域においては、こうした「指示書(インストラクション)」が作品制作のために用いられたり、それ自体が(実体のないパフォーマンスに代わる)「作品」として売買されるケースも珍しくはない。そのため現代美術に慣れ親しんだ者にとっては、こうした「指示書」を創作物として理解することは、むしろ一般的な理解に近いといっても差し支えないだろう。

しかしそのような前提に立ってもなお、佐村河内／新垣のケースにおいては注意が必要である。まずこの指示書は、74分にもおよぶ長大な交響曲のインストラクションとして書かれていた（新垣はこの交響曲の作曲に1年もの時間を費やしている）。いくら指示書を創造行為とみなすことができるとはいえ、1年もの時間を費やして作曲された交響曲の指示が、たった1枚のペーパーで完結していたと説明するのは苦しい印象がある。このことにかんして、作曲にあたった新垣は次のように語っている。

彼からは、一枚の図表をもらったわけですが、それと同時に、彼が「非常に大きな編成で大きな長さの曲を書いてくれないか」と依頼がありました。図表は、実際の作品の曲のなりゆきとはまったく異なりますけど、ただ、あの表を私が机の横に置くということで、それをある種のヒントとして、私が作曲するうえでは必要なものだったのだと思います。[11]

彼は、実質的にはプロデューサーであったと思います。アイディアを私が実現する。ただ、それを彼が自分のキャラクターを作り、世に出したということ。彼のイメージを作るために、私は協力をしたということだと思います。[12]

こうした新垣の証言は、現実的で実情に即した内容であるといえるだろう（それは実態を丁寧に証言するためのものであって、決して佐村河内を断罪するトーンのものではない）。事実、新垣は「共作」として自身にも著作権があるのではないかとする佐村河内の主張に対して、一部の曲にかんしてはそれを認めてもいる。[13] このように新垣の主張は、事実の解明を求めるものではあっても、佐村河内の関与（創造性）を否定するためのものではなかった。

それがどんなに貧しいリソースであっても、佐村河内が「0から1」を創造し、新垣が「1から100」へ展開したということはできるはずだ。事実、この主張は未だに完全な和解には至っていない佐村河内／新垣の両陣営が共有している数少ない認識のひとつでもある。[14]

したがって、佐村河内の指示書には（限りなく0に近い1だとしても）創造性が宿っていると考えることは可能だ。さらに、新垣の証言にもあったように、佐村河内が「全聾の作曲家・佐村河内守」というキャラクターをセルフプロデュースしていた――作曲はそのための手段に過ぎなかった――と考えるのであれば、マスコミを巻き込み世間に一大旋風を巻き起こしたその手腕にこそ、佐村河内の「創造性」を見出してみたくもなる。それでは、その手腕とは具体的にどのようなものだったのか、詳しく検証してみることにしよう。

プロデューサーとしての佐村河内

佐村河内をプロデューサーとして見たとき、意外にも大きな役割を果たしているのは楽曲ではなかったことがわかる。その最大の火つけ役となったのは、２００７年に刊行された自伝『交響曲第一番――闇の中の小さな光』と、13年に放送されたＮＨＫドキュメンタリー「魂の旋律 音を失った作曲家」だった。

佐村河内の聴覚障害について、新垣は「特に耳が聞こえないということを感じたことは一度もありませんでした」[15]と語る一方で、佐村河内は「聴覚障害2級の身体障害者手帳を持っている」「新垣の話す内容は唇の動きを見て理解していた」[16]などと部分的に反論している。しかし先述したように、「０から１」「１から１００」という作曲プロセスについては、両者ともに証言が一致していた[17]。佐村河内の証言の特徴は、そこに「嘘」と「真実」が周到に織り交ぜられているということにある。その最も極端な例は、自伝に収められた実弟の交通事故死の描写に表れているだろう。

> 両親の無念が私の中に流れこみ、涙は次第に悔し泣きへと変わっていきました。大声をあげて泣きました。家族思いで、思いやりにあふれていて、誰からも愛されていた心優しい弟。神は邪悪な兄ではなく、善良な弟をこの世から奪い去った！　なぜ私でなく亨を⁉　私は天を見あげるよ

うに思わず強く拳を握りしめていました。これが〝神を憎んだ〟最初の瞬間でした。[18]

〔傍点引用者〕

実の弟を突然の事故で失ってしまった佐村河内の悲しみは、おそらく偽りのものではなかったはずだ。しかし、この章の締めくくりには次のような「証言」が登場する。

「お兄ちゃんの曲の演奏会に僕を誘うんじゃったら、《交響曲第一番》のときにしてぇよね！」

これが弟の最後の言葉となりました。[19]

ところが実弟が事故死した1988年時点において、実は佐村河内は「ロックアーティスト」として活動しており、交響曲はおろかクラシック音楽にすら着手していなかった。つまり、この「最後の言葉」は偽のエピソードであると考えられる。このように、佐村河内のテキストには、短い文中にも虚実が複雑に入り混じっており、その内実はおそらく彼自身も線引きができないほどだったのではないだろうか（この点において、「神を憎んだ」という佐村河内の「本心」は示唆的である）。そのうえで、佐村河内を「虚像の制作者」とみなした場合、その真偽の如何以上に、そのフィクションの不徹底にこそ、批判の目が向けられる必要が出てくるといえる。

フィクションの不徹底

まず前提として確認しておくべきは、「虚像の制作」自体は非難されるべきものではないということだ。銀髪のかつらがトレードマークであったアンディ・ウォーホルが、「アンディ・ウォーホルについて知りたいなら、表面だけを見ればいい」[20]と語ったように、メディアが再生産する虚像こそが「アーティスト」の本質であるという言説は、1960年代にはすでに広く知れわたっていた。そして基本的に、佐村河内による「プロデュース」もまたこの域を出るものではなかった。しかし、その徹底の度合いにかんしていえば、佐村河内はウォーホルとは決定的に異なっていた。

フィクションの不徹底——それは、ヒロ・ヤマガタにも共通して指摘できる事態だ。ヤマガタは、ラッセンよりも早い時期に日本でデビューし、その全盛期には中ザワが「視界に入っただけで眼も心も汚されたような気分になる」と美術関係者の感情を代弁するほどに、大衆的な人気と裏腹に業界では激しく嫌悪されていた。

しかしヤマガタは後年、多色刷りのシルクスクリーンで広く知られていた作風を放棄し、レーザービームを用いた「現代美術」へと大きく転向している。その理由について、本人は「日本で紹介されている作品の多くは、米国の悪徳画商にだまされ、押しつけられてかいた絵だ」[21]と語っている通り、ヤマガタはその全盛期に確立された——そしてその結果、美術界から激しく嫌悪されることにもなった――「ヒロ・ヤマガタ」という虚像を、自らの手で放棄してしまった。

この点にかんしては佐村河内も共通しており、弟の事故死のエピソードに象徴されていたように、自らが「佐村河内守」という巨大なフィクションに飲み込まれてしまった結果、それを相対化することができなくなり、社会に対して大々的に「嘘」を発信し続ける結果となってしまった。佐村河内が激しくバッシングされたことの根本には、「佐村河内守」というフィクションに対する疑いではなく、この「嘘」に対する嫌悪が多分に含まれていたのだ。それゆえ、佐村河内を語る私たちも、この「嘘」と「フィクション」を注意深く切り分ける必要がある。

またこの点において、ヤマガタや佐村河内と異なりラッセンは徹底している。テレビをはじめとするマスメディアに登場する機会も少なくはないが、佐村河内やヤマガタのような「本心」を漏らすことなく、ラッセンはその立ち居振る舞いのすべてが「サーファー画家」というキャラクターへと結実している。それはもはや、ウォーホルが語っていた「表面だけを見ればいい」というアイデアをラディカルに実現した状態であるといえるのだ（ちなみにラッセンは、活動の初期から繰り返しウォーホルに言及し、直接的にその作風を参照した作品も残している）。

したがって、ヤマガタ－佐村河内とラッセンの違いは、次のように整理することができる。

第一に、ヤマガタ－佐村河内は、自らが生み出したフィクションを相対化することに失敗したという点で共通している。その結果、ヤマガタ－佐村河内は自らの証言に虚実が入り混じるようになったり、アイデンティティが激しく引き裂かれたりしたことによって、「ヤマガタ」「佐村河内」という巨大なフィクションに飲み込まれてしまった。それに対してラッセンは、徹底してフィクションをフィクションとして相対化しており、メディアの前でその「本心」を漏らすようなことはない。

このことを換言すれば、ヤマガタ－佐村河内がシミュレーショニスティックに「アーティスト」としての自身を演出しながらも、その内面はモダニスティックな価値観に支配されていたのに対して、ラッセンはその演出・内面ともに純粋なシミュレーショニストであるといえるのだ。

AI化するアーティスト

したがって、ヤマガタ、ラッセン、佐村河内には共通点がある一方で、大きな差異も存在している。その差異は、ヤマガタや佐村河内に対して否定的でシニカルなスタンスの中ザワと、ラッセンに対して肯定的でリテラルなスタンスの筆者との差異にもパラフレーズされるものだ。

すなわち筆者は、中ザワがおこなったようにヤマガタ－ラッセン－佐村河内という文脈を接続することではなく、その差異を強調して切断することに関心がある。とくにヤマガタとラッセンは、その受容のされ方や時代背景が近いため、これまでしばしば同列に語られてきたが、むしろその差異こそが重要だ。

最後に、ヤマガタ＝佐村河内とラッセンの違いを前提としたうえで、「Ｓ／Ｎ問題」が投げかけていた疑問に答えてみたい。そこで問われていたことは、「Ｓ氏がもし人間の作曲家にではなく、ＡＩの作曲家に代作させていたとしたら、何がどのように問題か、またはあなたのようにスルーするのか」というものだった。たしかに、「もしＳ氏（＝佐村河内）がＡＩの作曲家に代作させていた」ならば、それは現状とはまったく異なる結果を生み出していただろう。しかしこれまでも見てきたように、問題の本質は、そこで佐村河内が「ＡＩ化」を徹底できなかったこと（＝フィクションを維持できなかったこと）に見出されるものだった。

　このことに即するならば、ラッセンこそが「ＡＩ化」に成功したアーティストであるということもできる。アーティストと「ＡＩ化」という点からいえば、たとえば、アイスランドのアーティスト、ポール・セイヤーが２００９年に「ｂｏｔ化」に成功[22]した河原温や、本人の制作への関与が薄くとも、作品が再生産されうる草間彌生など、その「フィクション」が作品の内容や形式と不可分に結びついた数多の巨匠たちこそが同列に語られるべきである。そしてその意味において、いま多くの巨匠たちは「ＡＩ化」しており、ウォーホルが語ったような「虚像」以上に「ＡＩ化」こそが巨匠への切符となっているように思える。したがって、ヤマガタよりも佐村河内よりもラッセンの方が、より「美術史」に近いアーティストであるといえるだろう。

1 「ラッセン展」は大下裕司と共同企画し、２０１２年にＣＡＳＨＩで開催。13年にはフィルムアート社より編著書『ラッセンとは何だったのか？』を刊行した。

2 中ザワヒデキ・草刈ミカ・人工知能美学芸術研究会（ＡＩ美芸研）「Ｓ氏がもしＡＩ作曲家に代作させていたとしたら？」『Ｓ氏がもしＡＩ作曲家に代作させていたとしたら？』The Container、２０１９年、12—13頁。

3 同前、13頁。

4 中ザワヒデキの Twitter、https://twitter.com/nakaZAWAHIDEKI/status/432734084750532608。

5 神山典士『ペテン師と天才——佐村河内事件の全貌』文藝春秋、２０１４年、１２８頁。

6 原画の実寸は72・7×60・6センチメートル。この作品は、２０２１年に開催された「平成美術：うたかたと瓦礫」展（京都市京セラ美術館）で展示された。

7 「佐村河内守氏の「耳の肖像画」はいずこに？ 記者が新聞に書かなかったことは…」『産経ニュース』産経新聞社、２０１５年12月30日、https://www.sankei.com/premium/news/151230/prm1512300011-n1.html（２０２３年2月6日アクセス）。

8 北村昌士「日本の音楽（自主制作レコード&テープ）」『Fool's mate』１９８３年４月号（第26号）、フールズ・メイト、１９８３年、頁付なし。

9 前掲「佐村河内守氏の「耳の肖像画」はいずこに？」。

10 新垣隆『音楽という〈真実〉』小学館、２０１５年、１７０頁。

11 同前、１５６頁。

12 同前、１７５頁。

13 「佐村河内守氏の〝泣き芸〟に共作容認も、新垣氏が唯一譲れないアノ楽曲とは——」『日刊サイゾー』サイゾー、２０１４年５月13日、https://www.cyzo.com/2014/05/post_17130_entry.html（２０２３年2月6日アクセス）。

14 神山『ペテン師と天才』１００頁。

15 新垣『音楽という〈真実〉』１５６頁。

16 「佐村河内さん代理人が反論「聴覚障害2級の手帳確認した」」『スポーツ報知』報知新聞社、２０１４年２月７日、https://archive.is/20140207060038/http://hochi.yomiuri.co.jp/entertainment/news/20140207-OHT1T00024.htm#selection-589.17-589.20（２０２３年２月６日アクセス）。

17 神山『ペテン師と天才』１００頁。

18 佐村河内守『交響曲第一番——闇の中の小さな光』幻冬舎、２０１３年、89—90頁。

19 同前、98頁。

20 「アンディ・ウォーホル」『美術手帖』美術出版社、https://bijutsutecho.com/artists/206（２０２３年２月６日アクセス）。

21 「陽気な作品に不本意な事情　画家のヒロ・ヤマガタ」『Wayback Machine』１９９９年５月29日、http://web.archive.org/web/20030429053702/http://ch-k.kyodo.co.jp/17kyodo/backnumber/backnumber2001/job/job18.html（２０２３年２月６日アクセス）。

22 Earl Miller, “On Kawara’s “I Am Still Alive” Twitter Presence: An Anomaly in Post-Internet Art,” *MOMUS*, 2015/07/24, https://momus.ca/on-kawaras-i-am-still-alive-twitter-presence-an-anomaly-in-post-internet-art/.

「広告の時代」のアートとは何か？

――中平さん、倒れて意識を失ったあと、すぐに記憶がなくなったこと自覚できたんですか。
う……ん、なんかねえ、ぼくが意識しはじめたのはねえ、最初は看護婦さんがついてたね。意識しはじめたのは……ちゃんとご飯食べること、しつこいぐらい言われた。食べ物を食べなきゃいけません、とかね。[1]

「アート」が普及した80年代

2018年から19年にかけて「1980年代のアート」に焦点を当てた企画展が各地で開催された。「ニュー・ウェイブ：現代美術の80年代」（国立国際美術館）、「起点としての80年代」（金沢21世紀美術館ほか）、村上隆キュレーションによる「バブルラップ」（熊本市現代美術館）、そして海外では「パレルゴン」（ブラム&ポー）などが主な例である。

その一方で、そもそも80年代は「アート」というカタカナ語が一般化した時代でもあった。「80年代のアート」、そう聞いてぼくがまず連想するのは、1980年に始まったパルコ主催の「日本グラフィック展」(以下、日グラ)である。それは「美術」ではなくイラストレーションのコンペであったが、従来の「イラスト」の枠組みを超えた有象無象の作家たちが押し寄せることによって、さながら「80年代の読売アンデパンダン」といわれるほどの狂騒を呈した。

そうしたカオスを囲い込む際に都合よく使われたのが「アート」という言葉である。日グラ出身の代表的な「アーティスト」に、第3回展で大賞に選ばれた日比野克彦がいる。「美術」ではなく「アート」を出自にもつ日比野は、いまや日本における「美術」の本丸である東京藝術大学の美術学部長を経て、現在は学長を務めており、そのことからもすでに「アート」は「美術」の最奥にまで浸透していることがわかる(2023年現在)。

このような「アート」をめぐる新たな動きの根底にあったのが「広告の時代」と呼ばれる消費文化だ。それを端的に象徴しているのは「不思議、大好き。」や「おいしい生活。」(いずれも糸井重里)などといった名作キャッチコピーの数々である。西武百貨店やセゾングループが打ち出したこれらのコピーは、しばしば80年代のアーバンな消費文化を象徴するものとして語られてきた。[2]

その一方で「アート」という言葉をめぐっては、椹木野衣が指摘するように「〔アートという言葉は〕広告業界や音楽業界といった、一大産業規模を持つ流通・消費ビジネスと深い関係に」あり、且つ「そのとき言葉は、できるだけ透明で、あらかじめ無意識化されていたほうがよい」という。[3] これと同じことは「デザイン」「イラスト」「インテリア」などの言葉にも当てはまる。そのフラットな語感が、濁音交じりの重い響きをもつ「ビジュツ（美術）」や「ズアン（図案）」などに特別なこだわりのある者以外には、都会的な響きをもつ新たな感性として好まれたのだ。

そうした都会的センスの美術版として登場したのが「インテリアアート」である。その代表的な仕掛け人であるアールビバン株式会社は、その社名が示す通り、かつて西武美術館（後のセゾン美術館）に併設されていた美術書専門書店「アール・ヴィヴァン」のイメージを踏襲するものだ。アールビバンの看板作家ラッセンは、日本でのブームが１９９０年代に起きたにもかかわらず、80年代の作家として誤解されることが少なくない。その理由は、80年代的なセンスをアイコン化したアールビバンのイメージ戦略に起因するところが大きいだろう。では、そこで参照されていた「80年代」のイメージとは、果たしてどのようなものだったのだろうか？

「アーティスト」の誕生

「絵のある生活」をコピーに掲げたアールビバンの顧客たちは、そこで売買される作品がもし「アート」ではなく「美術」と呼ばれていたならば、それほどまでには購買意欲をそそられることもなかったかもしれない。「インテリアアート」という言葉には、その直訳である「内装」や「美術」といった語に付随する手触り感のある意味がそもそも存在せず、その脱臭された語感がアールビバンの打ち出す都会的なイメージと合致していたからだ。

ここで参照したいのは、1987年に描かれたラッセンの作品《カナハ池》［一部図5］だ。この作品では、ハワイにあるカナハ池がモネ風のタッチで描かれている。その一方で、90年に描かれた《フォー・マリリンズ》［一部図9］では、ウォーホルそっくりのタッチで4人のマリリン・モンローが描かれている。こうしたシミュレーショニスティックな作品はほかにも多く描かれているが、それらに共通していることは、本来なら絵画に要求されるであろう意味、すなわち「作者の内面」を読み取ることが困難であるということだ。

その象徴的な作例が《ラハイナ沖のザトウクジラ》（1983年）［一部図10］である。これはラッセンの代名詞「2つの世界」シリーズの最初の作品であるが、第一部でも言及したように、ロバート・リン・ネルソンが1979年に描いた《ふたつの世界》［一部図42］を元ネタにしている。タイトル、様式、クジラが水中に飛び込むフォルムまでが非常に似通っているが、ここで最も重要なことは、この類似が秘密裏におこなわれた「パクリ」でなければ、露悪的におこなわれる「シミュレーション」でもないということだ。

ラッセンやネルソンが活動するハワイの美術界隈は「マリンアート」というジャンルで括られるこ

とが多い（アールビバンはラッセンを「マリンアートの巨匠」として紹介している）。その中ではこうした引用関係やモチーフの共有が数多く、そこは単線的な「美術史」の概念が適用できない非歴史的な空間であるといえる。

このことを個人のレベルに当てはめてみるならば、それは「記憶を欠いた身体（＝記憶喪失の身体）」と呼びうる何かになる。「美術」に慣れ親しんだ人々であれば当たり前に求めてしまう「作者の内面」を、「マリンアート」の申し子であるラッセンの作品から読み取ることができないのは、端的に彼の絵に心が込もっていないからである。しかもその心の込もっていなさが、生活との調和を志向した「インテリアアート」としてはむしろ丁度よかったのである。

「インテリアアート」や「マリンアート」のように、フラットで内面のない「アート」を軽んじてきたのが従来の美術界だった。しかしぼくは、いま自室に実際に飾ってあるラッセンの絵を眺めていると、果たしてそこには「内面」がないのだろうかと疑わしくなるときがある。別のいい方をすれば、ラッセンの絵の奥側からは、どこか不穏な、反芸術的な気配を感じるときがあるのだ。果たしてそれは何に由来しているのか？　そのことを考えるうえで、写真家の中平卓馬について考えることは有益である。

実は先ほど引用したテキストも含めて、椹木がカタカナの「アート」を語るうえで繰り返し引き合いに出していたのが中平であった。中平は「現代芸術の疲弊」というテキストの中で、次のように語っている。

ほとんど徒労に終った第七回パリ青年ビエンナーレへの参加は、ぼくに次のことを考えさせるようになった。それはつまり制度としての芸術展、制度としての芸術、そして制度としての芸術家からいかに脱出するかがぼくらに課せられた唯一の問いであり、そこからの脱出をはからない限りもはやあらゆる表現はただの意匠、ただのファッション、そして最終的に一つの商品に不可避的に還元されてしまうに違いないであろうことを。その具体的方途は何もわからない。だがすくなくとも、この方向に歩みださない限り、すべては文字通りの徒労に終るだろう。[4]

ゴッホに代表される後期印象派以降、中平のいう「芸術家」という制度には、作品を「自己の発現の場」とみなす強い慣習が導入された。未だに美術館の作品解説の多くが作家の意図を代弁するものとして書かれ、人々が作家の言葉から作品の真意を読み取ろうとしているのがその証左である。それに対して中平のいう「脱出」は、そうした「自己」の発露や消費の磁場から抜け出すことを意味していた。そして何よりも中平が凄まじいのは、中平が実際にその「脱出」を敢行したことにある。「記憶喪失」という手段によって。

「広告の時代」の作者性

１９７７年、急性アルコール中毒によって倒れた中平は、記憶と言語に重い障害を負った。本論の冒頭で引用した会話は、当時の状況を中平自身が振り返ったものである。中平は倒れた直後の記憶がなく、あれほど雄弁に語り、執筆していたにもかかわらず、日常会話すらままならなくなってしまった。言葉を強力な武器としていた中平にとって、あまりに大きな損失であったはずだが、それを喪失としてでなく「記憶を欠いた身体（＝空っぽな身体）」の獲得とみなすことは可能だろうか。

記憶を失うことによって「空っぽな身体」が獲得されたという見立ては、中平が倒れたのと近い時期に使われ始めた「アート」というカタカナ語を「空っぽな言葉」として捉える視点とパラレルである。これまでにも見てきたように、「美術」という「意味ある言葉」の側からすると、「アート」という言葉はあまりにもフラットで空虚なものだった。しかしその空虚さは、病で倒れる以前の中平が繰り返していた激しい現代「美術」批判に、どこかで関係しているように感じられる。

それを作品のレベルで象徴したのが、先ほども触れたラッセンだった。それがあまりにもあっけらかんとしているがゆえに、逆にぼくたちはその屈託ないブルーの裏側を覗き見たくなってしまう。この感覚は、人間個人のレベルでいえば、「空っぽの身体」の瞳を覗き見たくなってしまう心境と一致するものだ。

先に触れた中平のインタビューは、写真家・ホンマタカシによるものだった。インタビューが収録されている冊子には、じっとカメラを見つめる中平のポートレイト〔図5〕が掲載されている。ぼくはその写真を見ていると、思わず目をそらしたくなるような畏れを抱いたことがあった。こちらをじっと見つめる中平の瞳は、いったい何を思っているのだろうか？　ぼくたちは誰かの瞳を覗き込むとき、その瞳の奥からその人の内面を読み取ろうとする。しかし、もしその先にありうべき「心」がなかったとすれば？

ラッセンの作品が醸し出す不穏さは、記憶を失った中平のポートレイトに写る瞳の奥底とどこかで繋がっている。カメラのレンズのような瞳には、そこにあるがままの風景が映っている。しかし、その瞳が恐ろしく感じられるのは、そこに「見たまま＝無心」の風景が映し出されているときではない。どうせ「心」などないだろうと油断して覗き込んでいたところ、その瞳の奥にふと光＝意志がよぎるのを感じた瞬間、ぼくたちはその深淵に畏れを抱いてしまう。それは、内面のある「作品」ではなく、内面のない「商品」に過ぎないだろうとたかをくくっていたラッセンの作品に、どこかで「心」が映っているかもしれないと感じる瞬間に抱く畏れと近しいものだ。

図5：中平卓馬のポートレイト（ホンマタカシ撮影、『美術手帖』2019年6月号、55頁）

つまりそれは、無心と有心、無意味と意味の間を行ったり来たりする「流通」のただ中で、この時代に「アーティスト」の新しい内面が立ち上がっていたことを意味する。すべてが等しく商品として流通してしまう「広告の時代」の作者性とは、そのような流通のダイナミズムの中で発見されるものなのである。

1 ホンマタカシ『きわめてよいふうけい』リトルモア、2004年、頁付なし。

2 加島卓「誰もが広告を語る社会」『1980年代』河出書房新社、2016年、290—304頁。

3 椹木野衣「「アート」の台頭と「八〇年安保」」同前、121頁。

4 中平卓馬「現代芸術の疲弊——第7回パリ青年ビエンナーレに参加して」『なぜ、植物図鑑か——中平卓馬映像論集』ちくま学芸文庫、筑摩書房、2007年、108頁（初出：中平卓馬「現代芸術の疲弊——第7回パリ青年ビエンナーレに参加して」『朝日ジャーナル』朝日新聞社、1971年）。

5 椹木野衣は、松井茂によるインタビュー「現代美術をめぐる言語空間の現在——シミュレーショニズムから後美術まで」の中で、中平について「記憶を失うことによって、逆に主体なきカメラそのものになったわけですから。結果的に、彼ほど写真そのものに極限まで迫った人はいない」と述べている（『artscape』DNP、2015年4月15日、https://artscape.jp/focus/10109685_1635.html〔2023年3月24日アクセス〕）。

第四部

裏声が聞こえる
——「裏声で歌へ」（小山市立車屋美術館、２０１７年）について

バイパスが5つ連なる新4号国道をひたすら南に向けて車を走らせていると、まるでここがどこだかわからなくなった。海や山に囲まれた地方で育ち、土地のかたちがそのまま市境や県境に折り重なるさまに慣れ親しんだ者にとっては、カーナビに表示される関東平野の行政区分はどこか架空の境界のように思えてしまう。

ふと気がついたときには、車は美術館のある小山市を離れて春日部古河バイパスに差しかかっていた。コンビニに車を停めて、先ほど購入したばかりの展覧会カタログを開いてみると、大学ノートを模したデザインのそれには、そこかしこに余白のページが残されていた。どこか摑みどころのない印象を覚えてしまう。

展覧会の空間は2つの建物にまたがっていた。どちらの棟から見始めるべきなのかは決まっていないらしく、展示の始まりや終わりを告げる説明書きは一切見られない。そのため、気がついたときには展示は始まっており、気がついたときには展示は終わっているというありさまだった。

美術館の外に出ると、旧街道に架空の国旗にも見える真っ赤な旗がレイアウトされたのぼりが

翻っているのが見えた。先ほどの展覧会を告知しているのだ。のぼりはただ「裏声で歌へ」と告げているのだが、その謎めいた告示と相まって、よく見ると周到にデザインされた明朝体風の赤い書体にはどこか摑みどころのない不気味な印象を覚えてしまう。

カタログを閉じて車を走らせながら、記憶の中で展覧会場を巡り直してみた。大和田俊と國府理のインスタレーションに挟まれるようにして、本山ゆかりの連作と戦争柄着物のコレクションが対峙している。別の棟には五月女哲平の《聞こえる》（2017年）という絵画があり、それを静かに眺めていると、隣の部屋から小山市立乙女中学校の合唱コンクールの歌声が「聞こえる」。

展覧会を特徴づけるのはその余白の多さである。カタログの余白は各2ページの作品紹介に対して6ページずつ挟まれているのだから、その量たるや「見えるもの」の3倍にもおよんでいる。また、カタログには小山市在住の男性が美術館周辺をさまよううちに「歌声」を失っていくという謎めいたエッセイが挟み込まれている。しかしその作者は明かされていない。さらに、会場の作品と作品の間に解説はなく、どこまでも白い壁面が広がっている。会場の始点と終点も同様の寡黙さだったので、先ほどのエッセイさながらに、その余白は次第に美術館の外にまで広がり、バイパスを通って市の外へと、どこまでも引き延ばされていくように感じられた。

もうどれだけ走っただろうか、まるでここがどこだかわからないバイパス上の暗闇でふと、展覧会のキュレーションについて考えていた。というのも、キュレーターの遠藤水城の「声」だけはまだ聞いていないように思えたからだ。その代わりに「聞こえて」きたのは、寡黙なキャプションとしての余白における、解説なき解説、声なき声だった。それは「聞こえない」ことによって初めて存在する声だ。あるいはそれこそが遠藤の「裏声」だったのではないか。そのように考えたとき、その声はどこまでも遠く、耳の奥のほうへと響き渡るように聞こえた。

つやま自然のふしぎ館と無美術館主義

神に捧げる展示室

徐々に高度を上げていく飛行機の中で、昨日見た展覧会のことを思い出していた。その展示室は、剝製で満たされた異様な空間だった。1500平方メートルある3階建ての館内には、キンシコウ、アムールヒョウ、インドライオン、ホッキョクグマ、シロフクロウ、キリン、ゾウアザラシなど、800点もの動物の剝製がひしめき合っている[図1]。さらに空間を奥へと進むと、蝶、昆虫、貝、化石、鉱石、岩石など、約2万2000点の標本展示が続く。建物は入り組んだ迷路のようになっており、一歩進むたびに床板が擦れ、ぎいぎいと大きな音を立てる。

図1：つやま自然のふしぎ館、第7室（2階展示室）

以前からここはインターネットで「B級スポット」として認知されていた。というのも、この博物館には先述した標本のほかに、人間の心臓、肺、肝臓、腎臓、脳が「展示」されているからだ。しかし、はるばる東京から半日を費やしてここを訪れた目的は別にある。60年弱の歴史をもつこの博物館で、このたび初めて「現代美術展」が開かれることになり、それを見るためにこの場所を訪問したのだった。

2019年9月から11月にかけて、ここ「つやま自然のふしぎ館（以下、ふしぎ館）」で写真家・村松桂による個展「Natura naturans」が開催された。博物館の位置する津山は岡山県北部にある小さな町で、岡山駅から快速電車に乗っても1時間以上かかる。津山駅からはタクシーで移動し、東京を出てから約6時間後、ようやくふしぎ館にたどり着くことができた。さっそく展示室に入り、リーフレットに目をやると、本展は村松の「個展」でありながら、創設者・森本慶三との「二人展」であるとも書かれている。どういうことだろうか？

1875（明治8）年、森本は津山屈指の豪商・錦屋の三男として生まれた。東京帝国大学に入学し、20代半ばでキリスト教思想家・内村鑑三と出会ったことをきっかけにして、森本の人生は大きく転回することとなる。それからの5年間、森本は毎週欠かさず内村の講義へと通い、キリスト教思想を学ぶ日々を送った。しかし日露戦争が勃発したことにより、「戦争廃止論」を発表した内村は社会から猛バッシングを浴びることに。孤立無援の状態で「非戦」の行動をとる内村に同調したのが、弟子の森本だった。

しかしその矢先、森本は最愛の妻を産後出血で失ってしまう。悲嘆に暮れる弟子に対し、自らも病気で妻を失ったことのある内村は何通もの手紙を送った。その中には次のような一文がある。

悲痛の撲滅剤として最も有力なるは、他人の為にする活動に有之候、君が此際此薬を多量に服用せられんことを御勧め申上候[1]

師の言葉に励まされた森本は、妻を喪失した悲しみを「活動」へと昇華するべく、1926（大正15）年、私財を投じて「津山基督教図書館」を設立。その後、戦時下にあっても森本は同館を拠点に旺盛な「非戦」の活動を展開した。しかし、1944（昭和19）年に「平和思想を宣布する反戦社会施設である」として軍は図書館を接収。「津山基督教図書館」の看板は無残にもセメントで塗りつぶされてしまうことになった。

そうした苦難の時代を乗り越え、1950（昭和25）年に「津山基督教図書館高等学校」が設立された。そのころより、森本は「万物の創造主である神の大知を認識できるように」との理念から博物館の設立を目論むようになる。それから30年以上の月日と1億円以上の私財を投じて、森本は世界各地から博物標本を収集。そして1963（昭和38）年に高校の校舎を改築して「津山科学教育博物館」（現・つやま自然のふしぎ館）が開館することになった。

しかし、博物館の真の完成はその翌年に訪れた森本の死によって成し遂げられることとなる。彼は死後、自らの身体を解剖・展示してほしいとの遺言をのこしており、岡山県の承認と岡山大学医学部の協力のもと「人体標本展示」が実現することになったのだ。しかしなぜ、森本は自身の身体を「展示」することを望んでいたのだろうか。そのわけを知るにあたり、人体標本展示と同じ空間に掲示されている内村の言葉は大きな手がかりとなる。

汝の財産を神に献げよ。然らば神は己が有として之を守り如何に紊乱せるものと雖も能く之を整理し再び之を汝に委ねて己が（神の）ものとしてこれを使用し給ふべし。汝の身體を神に献げよ。然らば神は己がものとして之を養い疾病の重きにも拘わらず能く之を癒し再び之を汝に与えて己が（神の）ものとして之を使用し給ふべし。汝の霊魂を神に献げよ。然らば神は己がものとして之を聖め汝の罪は緋の如くあるも雪の如く白くなし再び汝に還して己が（神の）ものとして之を使用し給ふべし。

〔傍点引用者〕

この言葉に忠実に従うように、森本は自身の財産を神に捧げ、その死後には、その身体と霊魂までも神に捧げる（＝展示する）ことを望んだと考えられている。

「ほんとうの美術館」はどこにあるのか？

飛行機は徐々に降下を始め、眼下にはどこまでも広がる関東平野が見えてきた。航路は西から東へと進み、相模原、武蔵野、墨田、千住などの風景が眼下に広がる。これらの地名から思い出されるのは、２０１０年代にいずれの地域にも「オルタナティヴ・スペース」が林立したということだ。

それらの中にはアーティストが主導するものも多く、２０１０年代後半には新たな「シーン」として注目されるようになった。しかしその内実は、歴史上オルタナティヴ・スペースが初めて登場した時代とは異なり、「貸画廊」や「美術館」といった既存の制度に対する批判的応答ではなく、単にアーティストの「貧しさ」を補うためといった経済的な動機にもとづくものが多かった。また、そうした実践は必ずしも「展示」という活動を伴うものではなく、先行世代に対する批判意識が希薄な場合も少なくない。現在、東京でもっとも大規模に活動するオルタナティヴ・スペースであるアーツ千代田３３３１が、その統括ディレクターで東京藝術大学教授の中村政人の指揮のもと、東京藝大と連携した活動をおこなうなど、すでにオルタナティヴであることをやめた小さな権威と化し、またそれに追随する若手も出てきている[2]（その後、アーツ千代田３３３１は２０２３年３月に閉館）。

そしてここで津山に視線を戻せば、ふしぎ館はそうした「オルタナティヴ・スペース」とは一線を画する施設である。もちろん、設立経緯、歴史背景、運営体制までも大きく異なるため当然ではあるが、森本が「財産」「身体」「霊魂」を捧げること（＝展示すること）にこだわっていたという点に、その最大の違いが表れている。先にも述べたように、オルタナティヴ・スペースはその経済的な志向性から「他人の為にする活動」よりも「自身の為にする活動」に重きを置くものが多かったのだ。

ところで、ふしぎ館に着目した村松はもともと剝製を題材にした写真作品を発表する作家だった。本展で展示されている作品は、剝製の中で唯一「本物ではない」ガラスやプラスチック製の義眼を写真に収め、その表面にそれぞれの動物が「見たかもしれない風景」を重ね合わせたものである。

ふしぎ館を歩いていてもっとも印象に残ったことは、剝製を「見ている」はずの自分が、まるで剝製から「見られている」ように感じることだった。もともとは校舎だった狭い建物に剝製がぎゅうぎゅう詰めに並べられているためか、訪問者はどこに立っても「誰かの視線」を感じることになってしまう。その感覚は展示を見進めるにつれて高まってゆき、最奥部にあたる3階の直線廊下にたどり着いたとき、最高潮に達することになった。まるで花道のような廊下の両脇には、ずらりと剝製が並び、そのすべてが訪問者に対して視線を投げかけてくる。そして廊下の突き当たりに目をやると、剝製の義眼をクローズアップして撮影した村松の《Ordo》（2019年）が展示されている［図2・3］。

ふしぎ館に漂う視線が、そのあるじを特定できない「誰か」のものであるわけは、剝製たちの目がいずれも偽物＝義眼であるからだ。その偽物の眼球を覗き込んだとき、「私たちは、自らが投げかけた視線や感情が行き場を失い、こだまになって響き続ける中に立ち尽くく[3]」すと、村松は述べている。

つまり、ふしぎ館を満たしている「誰かの視線」は、そこを訪れる人々が投じた視線の「こだま」[4]であるのだ。村松はさらに、展覧会カタログに寄せた文の中で次のように綴っている。

> 創設者・森本慶三が傾倒した内村鑑三のキリスト教思想は「無教会主義」と呼ばれる、文字通り教会という場所に依存した信仰心を否定するものである。「罪あれば罪ありと告白し、弱ければ弱しと叫んで、そのまま赤裸々に露出して十字架の下にひれ伏し、主よ憐れみたまえと哀願すればよいのである。本山でもない、会堂でもない。店頭でもよい、台所でもよい。工場・田園・病床・獄吏、どこと限ったことはない」（森本慶三『宗教の真髄』１９３４年）
> 私には「教会」が、そのまま「美術館」に置き換えることができる気がした。無美術館主義。[5]
>
> 〔傍点引用者〕

図2：村松桂
《Ordo: Bush Duiker》（2019年）

図3：つやま自然のふしぎ館、第12室（3階展示室）

ここで述べられている無教会主義とは、「教会」よりも「十字架」を重んじる思想である。それは教会の権威性を批判するものであるが、教会という場自体を批判するもの（反教会主義）ではない。それよりもむしろ、ほんとうの教会はどこにでもありうると考えるラディカルな思想である。

これをふしぎ館に当てはめてみれば、この場自体が森本にとっての「ほんとうの教会」であったと考えることができるだろう。そしてそのとき、教会を訪れた人々がおこなう「祈り」の行為が、ふしぎ館では「展示を見る」という行為に置き換わっていることに気がつくのだ。剝製に投げかけた視線がこだまして反響する構造の中に、「祈る」という行為との類似を見出すことができる。この類似こそ、村松が《Ordo》によって示したものだろう。

さらに、ここで述べられている無美術館主義とは、「美術館」よりも「作品」を重んじる思想であるともいえる。「無教会主義」になぞらえれば、それは美術館の権威性を批判しながらも、その場自体を否定するものではなく、ほんとうの美術館はどこにでもありうると考えるラディカルな思想になる。

これは一見すると「オルタナティヴ・スペース」と相性のよい言葉に聞こえるかもしれない。しかし、ふしぎ館は功利的な意識から生まれた場ではなく、むしろそれとは逆の志向、つまり「他人の為にする活動」によって生まれた特異な場だった。では、そうした場を可能にするものとは何か？　再び内村の言葉に戻れば、その場は究極の「悲痛」の中から、それを克服するために生まれるものである。つやま自然のふしぎ館と無美術館主義は、近年まことしやかに囁かれるようになったアーティストたちの「生存戦略」に対して、静かな疑義を突きつけている。

1 内村鑑三『内村鑑三全集 38』岩波書店、1983年、21頁。

2 後日談になるが、2010年代に首都圏で林立したオルタナティヴ・スペースの多くが、マネタイズやハラスメントの問題に直面し、2020年代前半にはその多くが活動休止に追い込まれることになった。

3 村松桂「Natura naturans」リーフレット内《Ordo》解説文より。

4 村松が展覧会カタログに寄せたテキストのタイトルが、その名も「視線の谺」である。

5 村松桂「視線の谺」『Natura naturans』私家版、2020年、頁付なし。

彼女の話し方はとても印象的だった。すでに90代になるというその女性は、訛りの強い日本語と英語が交ざったような話し方をしていた。その言葉は、いわゆるピジン英語と呼ばれるものだ。プランテーション時代にハワイに移住した労働者たちの母国語と英語が交ざったもので、ハワイ以外にもさまざまな土地に特有のピジン英語がある。

ハワイにおけるそれは、たとえば「th」は「t」や「d」と発音されるため、「three（スリー）」は「tree（トゥリー）」、「that（ザット）」は「dat（ダット）」、「the（ザ）」は「da（ダ）」などと発音される。単語も独特で「holoholo（ホロホロ）」が「ブラブラする」、「howzit（ハウズィ）」が「調子どう」、「nene（ネネ）」が「眠る」、「giri giri（ギリギリ）」が「つむじ」を意味するそうだ。

それぞれの由来を見てみると、「holoholo」はハワイ語に、「howzit」は英語の「how is it」に、「nene」は日本語の「寝る／眠る」に、「giri giri」は山口県の長門地方のつむじを意味する方言「ぎりぎり」にその由来があるようだ。このように、ハワイのピジン英語は複数の言語が交ざって生まれた混成語なのである。ほかにも「hey」の「eh（エェ）」、「that kind」の「da kine（ダ・カイン）」などもよく耳にしたが、会話の節々にはさまれる「ダ」や「エェ」といった響きは、日本の高齢者が発する間投詞に聞こえ、遠い異国で自身の祖母と話しているような気持ちになった。

隔世遺伝という言葉がある。祖先に見られる遺伝形質が、孫以下の世代に受け継がれる遺伝現象のことだ。あるとき、ハワイのスーパーマーケットを歩いていたところ、「Chichi Mochi」というお菓子を見つけたことがあった。気になって調べてみると、広島県庄原市の銘菓「乳団子」がハワイでローカライズされたもののようだ。その起源は、1934年に和泉光和堂が発売した和菓子にあり、移民の中にこの店で働いていた人がいたことから、いまではハワイ中のスーパーマーケットで売られる人気商品になっている。広島県内でも知る人ぞ知るお菓子で、広島市内育ちのぼくもハワイで初めてその存在を知ることになった。

大学に進むまでの間、ぼくは山口県岩国市と広島県広島市で暮らしていた。日本海と瀬戸内海に挟まれた山口県は、北部の山陰と南部の山陽に大きく分かれる。山陰と山陽で気候も風土も異なるが、岩国と広島はともに山陽に属するため、県を跨いだ人々の往来も活発だ。そして、この2つの地域を結ぶもう1つの共通点がハワイだった。

1885（明治18）年にスタートした官約移民では、944名の移民がハワイに渡航している。そのうちの420名が山口県出身者であり、その次に多いのが広島県の222名だ。944名中、実に642名がこの2県の出身者だったことになる。

中でも、瀬戸内海に浮かぶ周防大島の人々の割合が多かったようだ。周防大島は、岩国や広島にも近く、淡路島と小豆島に次いで瀬戸内海で3番目に大きい島である。しかしなぜ、これらの地域から移民が集中したのだろうか？

その要因としていわれているのは、ハワイ駐日公使のロバート・アーウィンが人口過多だった西日本より労働者を募集したことと、この時期に凶作が起きて農村部が疲弊していたことだ。日本に2館しかないハワイ移民資料館のうちの1館は、広島県安芸郡（現・広島県広島市）につくられた。安芸郡の沿岸地域は、もともと海苔や牡蠣などの養殖が盛んだったが、1880年代に宇品港が建設されたことにより、産業が大きく衰退した歴史がある。そうして生まれた失業者も、移民としてハワイに渡ることになった。

その一方で、文筆家の堀雅昭はより地域性にフォーカスした考察をおこなっている。それによると、官約移民が開始される以前より、周防大島からは多くの人々がハワイに渡航していた。たとえば、1874（明治7）年にハワイに密入国した「ジョー松」こと竹下松五郎という人物がいる。彼は、1866（慶応2）年の第二次長州征伐で船方として働き、長州勤王派の勝利に貢献するも、明治維新後にほとんど報奨を与えられなかったことから生活苦に陥り、アメリカの捕鯨船に乗ってホノルルに密入国した。周防大島の周辺では、官約移民以前より、こうした無鉄砲な不法出国者が後を絶たなかったという。

周防大島出身の民俗学者・宮本常一は、1949（昭和24）年に出会った90歳の老人から次のような話を聞き取っている。それによると、明治維新の10年ほど前に生まれた老人は、1875（明治8）年のあるとき、魚を求めて西へ西へと進んだことがあった。彼は船に乗って瀬戸内海を横切り、下関を越え、玄界灘を越え、朝鮮半島に至り、やがては中国大陸にたどり着いた。さらにインドへの航路を聞いて先に進もうとするも、船が小さかったために断念して瀬戸内海まで戻ったという。当時の漁民にとって「国境」という概念がいかに希薄であったかが伝わるエピソードだ。[1]

宮本はこれと同じ年の調査で、対馬の浅藻に周防大島の人々が開拓した集落があることも発見している。浅藻は従来、天道法師の住む土地として人が住むことは忌避されていたが、明治8年に周防大島の久賀からたどり着いた漁師がこの土地に拠点をつくったことをきっかけに、村が形成されていったという。宮本はその開拓者の1人、梶田富五郎にインタビューしている。

その頃、久賀じゃァハワイへいくことがはやっての……。久賀で働きゃァ一日が13銭にしかならんかったが、ハワイなら50銭になる。何とええもうけじゃないかちうてみんなどんどん出ていった。しかしわしらは漁師で、もう一生魚をとって暮らそうと決心していたから気は変わらだった。[2]

このインタビューがおこなわれた１９４９年の時点では、まだこうした人々が存命であったことに驚かされてしまう。彼らにとって、ハワイに渡ることも対馬に渡ることも大きな違いはなかったのだろう。またその語り口からは、故郷を離れることへの悲壮感は微塵も感じられない。当時の漁民が、国家にも故郷にもとらわれず、越境的に生きていたことがわかる。また彼らは強い決意のもと、能動的な「選択」をすることなく、人生の大きな決断を下していたことも印象的だ。もしかすると現代よりも江戸末期の人々の方が「海外」を地続き（海続き）のものとして捉えていたのではないだろうか。

ハワイに移り住んだ人々の中には、このような意識から非−選択的に（つまりは「なんとなく」）移住した人々も多くいたのだろう。しかし、そんな人々が強く「選択」を迫られた出来事があった。真珠湾攻撃である。

ハワイ島のパパイコウ日本語学校で校長を務めていた田原弘は、１９３０年代中ごろ、ハワイで暮らす日系アメリカ人の役割は「日本とアメリカの関係を促し、強化すること」にあると述べている。しかしその一方、もし両国間で戦争が起こってしまった場合、「選択肢はただ一つ。忠実なアメリカ人として国に仕えること」[3]しかないと述べている。そして残念ながら、田原の悪い予感は的中してしまった。

１９４１（昭和16）年12月７日、日本軍によって真珠湾が攻撃されたハワイでは、ただちに戒厳令が敷かれることになった。その翌日には、アメリカ大統領令により日本人が「敵性外国人」に指定され、厳しい監視下に置かれることとなる。公の場で日本語を使うことは制限され、ハワイ中の日本語学校も閉鎖された。さらに一部の人々は強制収容所に送られ、先述した田原も、１９４５（昭和20）年にニューメキシコ州の収容所で死亡している。

緊迫した状況の中で、収容所に送られなかった日系人もまた、日本との繋がりを示すものを積極的に手放すことで「アメリカ」を選択していった。その過程で率先して手放されたのが、日本語である。日本語学校の閉鎖に象徴されるように、人々は自身や身内の母国語を捨て、英語で話すことを選択していった。戦後生まれの日系人の多くが日本語を話すことができないのはこのためである。

１８６８（明治元）年以降、ハワイでは70年以上にわたって日系人が他人種との「共生」のための努力を積み重ねてきた。ときには大規模なストライキも起こしながら、人種による賃金格差を是正し、ハワイ社会における地位を少しずつ向上させていった。そうした努力を一瞬で無に帰してしまった真珠湾攻撃は、ハワイの日系人にとって耐え難い出来事だっただろう。彼らが「日本（語）」を積極的に手放していった背景には、自身や祖先の母国に対する失望が多分に含まれていたはずだ。

当時のハワイでは、日系人と日本人の人口がハワイ諸島全体の4割近くを占めていた。そのほとんどが仏教を信仰していたが、戦中から戦後にかけて、信仰においても「選択」を迫られている。そのときに突きつけられた選択肢はおおむね次の三択だった。仏教を放棄するか、キリスト教に改宗するか、差別を覚悟のうえで仏教徒であり続けるかだ。こうして、１９４０年代のハワイ日系人の間では「なんとなく」生きるという受動性への自由が完全に閉ざされてしまうことになった。

その結果生まれたのが「墓の墓」である。その光景を初めて目にしたのは、マウイ島北岸のパイアにある曹洞宗マウイ満徳寺を訪れたときのことだった。日系人の足跡をたどる旅の中で、たまたまこの寺を訪ねてみたところ、境内に大量の墓石が積み上げられているのに気がついた［図1］。近づいてみると、本来ならば決して触れ合うことのない墓石同士が、テトリスのように隙間なく積み上げられている。その原型は、少なくとも１９１６（大正5）年には誕生していたようだ。当時、ハワイで刊行されていた新聞を見ると、「日本人墓地の荒廃を見よ」という見出しとともに「ホノルル、に於ける重なる日本人墓地として目されてゐるマキ、墓地の荒廃も既に久しいものである」[4]と、当時すでに「墓の墓」が問題視されていたことがわかる。また１９５６（昭和31）年には、写真家のアンセル・アダムスがマウイ満徳寺で墓石の山を撮影している［図2］。アダムスの写真を見ると、現在のそれとは形状がやや異なるものの、背景の海との位置関係から、それはぼくが見た「墓の墓」のすぐ近くに置かれていたことがうかがえる。

境内を奥まで進むと、ウミガメが甲羅干しのために集まっている美しいビーチが現れた。グーグルマップを開くと、正面の海は「マントクジ湾」と表示されている。こうした名前ひとつとっても、かつて移民たちが地域社会に溶け込むためにさまざまな努力を重ねてきたことがわかる。しかしそのビーチにも、崩れ落ちた墓石がゴロゴロと転がっていた［図3］。波によって侵食されつつある墓石は、すでに丸みを帯び始め、一見したところ自然石のようにも見える。やがては細かく砕けて湾に飲み込まれていく運命にあるのだろう。

満徳寺を出たあとで、マウイ島にある日系人墓地のマップを作成することにした。その後1週間ほどかけて、カフルイ、ワイルク、クラ、ハナ、ラハイナ、ハナカオオ、ワイカプなどの墓地を巡った。その中には、富裕層向けの高級コテージからわずかに分け入ったところで、ジャングルと一体化しながら、ホームレスの住処と化した墓地［図4］に出くわしたこともあった。植物

図1：墓の墓
（筆者撮影）

図2：アンセル・アダムス
《墓石と虹、パイア》
（1956年）

図3：曹洞宗マウイ満徳寺にて
（筆者撮影）

図4：ホームレスの住処と化した墓地
（筆者撮影）

が生い茂るドーム状の空間の中で、崩れた墓石をテーブルのように使っている痕跡と、狂ったような独り言が暗闇から聞こえてきたときには、思わずすぐに引き返してしまった。

その一方で、いくつかの寺では詳しい話を聞くことができた。中でも親しくなったのは、ラハイナにある寺の住職だ。彼からは、浄土真宗ではなぜ墓が西向きに建っているのかなど、仏教にまつわる事柄からマウイでの暮らしについてまで、いろいろな話を聞くことができた。

冒頭の女性にインタビューができたのも、彼のおかげである。ちなみにその女性の両親は、周防大島にもほど近い瀬戸内海沿岸部の生まれだった。しかし彼女自身はマウイ島の出身で、日本には一度も訪れたことがないという。とにかく仕事が忙しくて、海外旅行なんてできるわけないよといった話しぶりだった。

インタビューを終えて、ラハイナの海に面したレストラン「Kimo's Maui」に住職と出かけることにした。この店は、ラハイナで暮らすラッセンもお勧めしているレストランである。ひと仕事を終えてリラックスした雰囲気の中、マヒマヒのフィッシュアンドチップスを食べながら、なぜハワイで住職になったのか尋ねてみた。

彼は少し間を置いて、そのわけを話してくれた。まだ彼が20代だったころ、ひどく理不尽でつらい出来事に見舞われたことがあった。しかしその出来事が「なぜ」起きたのか、自身にも周囲にも説明することができなかったという。そうした説明のつかない出来事に対して、自分なりに納得のできる答えを探るプロセスが、彼にとっての信仰なのだという。世の中には「原因」を説明することはできても、「理由」を説明することができないことがたくさんある。その話を聞きながら、この1週間かけて巡ってきた墓地のことを思い出していた。

住職と握手を交わして車に乗り込んだ。辺りはもうすっかり暗くなっている。

滞在先のキヘイまでは、ラハイナから車で30分くらいの距離だ。ビーチと並走するように、ホノアピイラニ・ハイウェイをひた走った。夜になると交通量も減り、周りが一面真っ暗闇になることもしばしばである。後ろから車が来たときには、路肩に車を寄せて追い抜かせて、わざと1人になる。そんなことを何度も繰り返しながら、ハイウェイをゆっくり進んだ。

なんとなく曲がるべき道を曲がらず、ワイルクの町まで直進してみることにした。ラハイナでは終日雲ひとつない青空が広がっていたが、車で40分くらいの距離にあるワイルクに向かっていると、急にぶ厚い雲が現れて、またたく間に激しい雨がフロントガラスに打ちつけ始めた。マウイ島では、少し移動するだけで天候が変わることが頻繁にあった。地形も植生も豊かなので、町によって雰囲気も大きく変わる。アメリカ西海岸のようにキラキラしたラハイナに対して、東南アジアのようにジメジメしているのがワイルクだ。マウイ郡の庁舎が並び、昼間には人で賑わうが、夜に立ち寄ってみると打って変わってしんとしている。

郡庁舎のある中心部を横切って、町外れにあるパン屋に向かった。マウイ出身の友人から、ワイルクにある「ホームメイド・ベーカリー」には必ず訪れるようにと念押しされていたのだ。ほとんど特徴のない名前だが、ここではマウイ島随一の「Manju」［図5］を買うことができる。Manjuとは、もちろんあの「饅頭」のこと。しかし日本のそれとは異なり、バターをたっぷり使った生地をオーブンで焼き上げているため、クッキーのようにサクサクの食感に包まれている。味も餡だけでなく、ココナッツ味、パイナップル味などが定番だ。そこで無難にココナッツ味とパイナップル味をひとパックずつ買って帰ることにした。

キヘイのコンドミニアムでManjuを食べながら、この1週間でたくさんの「日本的なるもの」に触れてきたことを思い出していた。それとともに、ほとんどクッキーのようなこのManjuは、果たして「日本的なるもの」なのだろうかという疑問も頭に浮かんだ。

それから数日後、飛行機でオアフ島に移動して、チャイナタウンにオープンしたばかりの書店で働く友人に会いに行った。チャイナタウンは、いまハワイで最も危険なエリアのひとつといわれている。たしかに、明らかに薬物依存症のホームレスがそこかしこに佇んで頻繁に奇声をあげている。聞いたところでは、温暖なハワイにはアメリカ本土からホームレスたちが片道切符で集まっているそうだ。その一方で、そこは文化の町でもあった。ごく狭いエリアに、ハワイの主だった（観光客向けではない）アートギャラリーが集中している。バー、書店、焼鳥屋、アンティークショップもあり、若くて先進的な人々が集まっている印象だ。

そのうちのひとつ、書店が併設されたギャラリーに入ってみた。店内をうろついていると、安っぽいソフトカバーに「Obake」と書かれた書籍が13ドルで売られていた。話の種として購入し、友人が働いているお店に向かうことにした。

「久しぶり」「元気だった？」と一通りの挨拶を済ませたあとで、先ほど買ったばかりのObakeの本を見せてみた。すると「ああ、グレン・グラントね」と予想外に退屈そうな反応が返ってきた。どうやらハワイではよく知られた人物のようだ。

この本の作者、グレン・グラントは、ハワイで活動していた小説家・民俗学者である。父親は『オズの魔法使い』や『風と共に去りぬ』など、数々のハリウッド映画で特殊効果を担当していたクリフ・グラント。グレン自身はロサンゼルスで生まれたが、1970年代から2003年に亡くなるまでの間、ハワイで暮らし続けた。教鞭をとっていたハワイ大学では、古色蒼然とした衣装に身を包み、舞台装置を用いながら演劇的なレクチャーをおこなう人物としても知られていた。

購入した本に収録されていたのは、カイムキのドライブイン・シアターに

図5：「ホームメイド・ベーカリー」のManju（筆者撮影）

現れた狢（のっぺらぼう）のエピソード、ハワイ島やカウアイ島などで起こったカッパ騒動、同じくハワイ・カウアイを中心に報告された犬神の話などだ。

グラントが述べるところでは、長年議員を務めていた日系二世、スパーク・マツナガの父親は、動物霊を祓う祈禱師だった。その人物が、1930年代末のカウアイ島で犬神騒動があったことを記憶していた。それらの詳細は、ジョン・エンブリーという人物が論文にしており、そこには40年にハワイ島・カラオアのプランテーション・キャンプで、41年にホノルルの日本人コミュニティで犬神騒動があったと記録されている。しかしなぜ、ハワイで犬神なのだろうか。その理由としてグラントは、ハワイへの移住者のほとんどが犬神信仰の盛んな瀬戸内海沿岸地域の出身者だったからだと述べている。

ただし、彼の著作を読むうえでは一定の注意も必要である。フィクションとノンフィクションが複雑に交錯した書き方がなされているからだ。たとえば、「過去」に起きた出来事については、実在の新聞記事などが参照されているが、そのうえに「現代」を生きるキャラクターとしての「グラント」が登場し、その体験談としての怪談話が展開される。つまりグラントは、民俗学者として収集した「過去」のうえに、小説家として創作した「現代」のテキストを重ねるかたちで現代の「ハワイ怪談」を編んでいたのである。

したがって、それは全体的にはフィクションであるものの、グラントの綴る「過去」についてはどうしても気になるところがあった。それによると、Obake騒動は日本にまつわる空間（たとえば、和食レストランやプランテーション・キャンプなど）で起きることが大半だが、一部の例外では、日本と関わりのない場所でも観測されるのだという。どういうことだろうか？

1959年5月、オアフ島のワイアラエ・ドライブインで狢をめぐる騒動が発生している。その内容は、真夜中にドライブインの女性用トイレで長い髪をとかす「のっぺらぼう」が出現するというもので、86年にドライブインが閉鎖されるまで目撃談が続き、新聞でも繰り返し報じられた。

ここで興味深いのは、その目撃者や語り部のほとんどが日本とは関係のない人々だったということだ。それにワイアラエ・ドライブイン自体も日本とこれといったゆかりがなく、目撃されたのっぺらぼうがアジア系だったという証言すらない。中には、幽霊の髪が赤毛だったという声もある。しかし「顔のない幽霊」は、ポリネシア、アメリカ、ヨーロッパなどにはほとんど登場することがない。

オバケのイメージがコミュニティを越境して不規則に移動する現象は、これまでに見てきたさまざまな事例を思い出させる。英語として定着した「Obake」という言葉や、クッキーみたいな「Manju」も、日本という空間で流通していた言語や食事にまつわるイメージが不規則に移動した例であるだろう。

最も難しく、そして面白く感じるのは、こうしたイメージがほとんど不規則に――それこそオバケのように――移動しているということだ。なぜ、一方のイメージが残存して、他方のイメージが消失したのか、その理由を完全に説明することはできない。そのとりとめのなさは、偶然掘り起こされたタイムカプセルや隔世遺伝のようでもある。

この現象を捉えるためには、論理的に考えるよりも、身体的に考えてみる方が有効かもしれない。つまり「スタンス（＝構え）」の問題として、イメージの有り様を捉えてみるということだ。それは、偶然性の中に身を任せてみることであり、イメージの側に立って考えてみることでもある。そこで問われているのは、〝いかにしてイメージの側に立つか〟という倫理観だ。「イメージの倫理」とでも呼ぶべきものだろう。

そして、実際にそのように生きた人々の実例として、ハワイ移民のことを捉え直してみたい。そこに見られたラディカルに受動的な態度は、国境も国籍も人種も越境する人間のフレキシブルな生をつくり出していた。そのただ中で、いくつかのモチーフが隔世遺伝的に残存していたのである。

フレキシブルな人間の生についてより深く知るために、今度は山口県にある周防大島を訪れてみることにした。

東京から広島まで片道12時間のバスに乗り、朝9時に広島駅に降り立った。広島市内にある実家で車を借りて、都心部を横切り、西広島バイパスに入る。そこからは国道2号線をひた走り、宮島を越え、大竹を越え、岩国に至る。市街地を通過するころには、一瞬だけ街の雰囲気が変わるときがある。

在日アメリカ軍関係者向けの英語看板が増えるからだ。岩国には「アメリカ的なるもの」があふれている。

いつからかわからないが、周防大島は「瀬戸内のハワイ」と呼ばれるようになっていた。全長1キロ以上ある大島大橋を渡り、今度は海と併走する国道437号線をひた走った。島には街路樹として椰子の木が植えられており、右手にはギャング丼やハンバーガーで人気のレストラン「アロハオレンジ」が見えてきた。視線をやると、アメリカ軍関係者と思われる集団がちょうど店に入るところだった。

図6：カウアイ群庁舎をモデルにした「グリーンステイながうら」のビジターセンター（筆者撮影）

島内を軽く散策したあとで「グリーンステイながうら」に向かい、周防大島で郷土史を研究しているYさんと再会した。そこは、施設全体がハワイのカウアイ島をイメージした場所で、より直接的にハワイが参照されている。とくにビジターセンター［図6］は、カウアイ島に実在する郡庁舎をモデルにした建物だ。レストランに移動してロコモコを食べながら、ハワイで見た数々の「日本的なるもの」について1時間くらい話をした。

食事を終えるとそれぞれの車に乗り込み、日本ハワイ移民資料館まで先導してもらうことになった。大橋方面に向けて国道をひた走る。過ぎ去っていく椰子の木を眺めていると、今度は日本における「ハワイ的なるもの」を無意識に追い始めていることに気がついた。
ハワイにおける「日本的なるもの」、岩国における「アメリカ的なるもの」、周防大島における「ハワイ的なるもの」。それぞれの「なるもの」の間を縫うように、車をひた走らせて探しているものは何だろうか？

周防大島の国道を走っていると、ハワイでドライブしていたときのことが思い出された。それは、マウイ島でお馴染みのホノアピイイラニ・ハイウェイを走っていたときのことだ。グーグルマップに促され、イースト・ワイコ・ロードを右折した。出発前にグーグルストリートビューで予習していたところでは、道に面するゆるやかな丘に道路から直接アクセスできるはずだった。しかし実際に訪れてみると、そこには来る者を拒むように真新しいフェンスが敷かれている。

道端に車を停めて、フェンスに隙間がないか探ることにした。すると、少し離れたところにある一軒家の2階から、男性が身を乗り出してこちらを眺めているのに気がついた。気まずくなって引き返そうとすると、大きな声で何かを叫びながら「そこに居ろ！」とジェスチャーしてくる。呆然としてその場に立ち尽くしていると、彼の息子だろうか、中学生くらいの男の子が仔山羊を抱えて歩いてきた。

一言も発することなく、フェンスを穿つ扉まで案内された。拍子抜けするほどあっけなく越境することができ、丘の内側に立たせてもらった。そこは、マウイ島に点在する日系移民の墓地のひとつである。

「ここはあなたの家族の墓地？」

「ノー。ただ管理しているだけ」

短い会話を交わしながら、胸の高さまである草を掻き分けて、1人で丘を登った。中腹に差しかかるころから、草に埋もれた墓石がところどころで顔を出すようになった。丘の頂上には、名もない移民が合祀された石碑が立っている。そこからは島全体が見渡せたので、日が暮れるまでの間、その景色を動画で撮影してみたいと思った。少年に「時間がかかってもいい？」と聞くと「ノープロブレム」と言う。結局それから1時間ほど、その場でじっと撮影させてもらった。

お互いが共有する言葉は少ないため、会話はあくまでも必要最低限だった。けれど、お互いが必要とするコミュニケーションは十分に成り立っていた。少年は丘の下で仔山羊と遊びながら、常にこちらから見える位置に佇んでくれている。ぼくも少年の目から離れないように、自分の立ち位置を保っている。それは、マウイ島で過ごしたほかのどの時間よりも雄弁な会話の成り立つ時間であるように感じられた。

どこからかやってくるイメージは、有限な人間の言語に対して無限の広がりを与えてくれる。その広がりに合わせるような生き方が存在すると教えてくれたのは、「移」民と呼ばれる人々のしなやかな生だった。「移」動の結果、およそありうる限りの人間の属性が変わってしまったとしても、まるで隔世遺伝するかのように、忘れたころに顔を出すイメージがある。

そうやってたまたま顔を出した何かを、さまざまな「なるもの」の間をたゆたいながら、波打ち際を歩くようにして拾い集めている。

1 堀雅昭『ハワイに渡った海賊たち──周防大島の移民史』弦書房、2007年、26─30頁。

2 宮本常一「梶田富五郎翁」『忘れられた日本人』岩波文庫、1984年、188頁。

3 *OKAGE SAMA DE*, Japanese Cultural Center of Hawaii, p. 30.

4 「日本人墓地の荒廢を見よ」『日布時事』1916(大正5)年5月27日号、日布時事社。

CRISPY APPLE MANJU

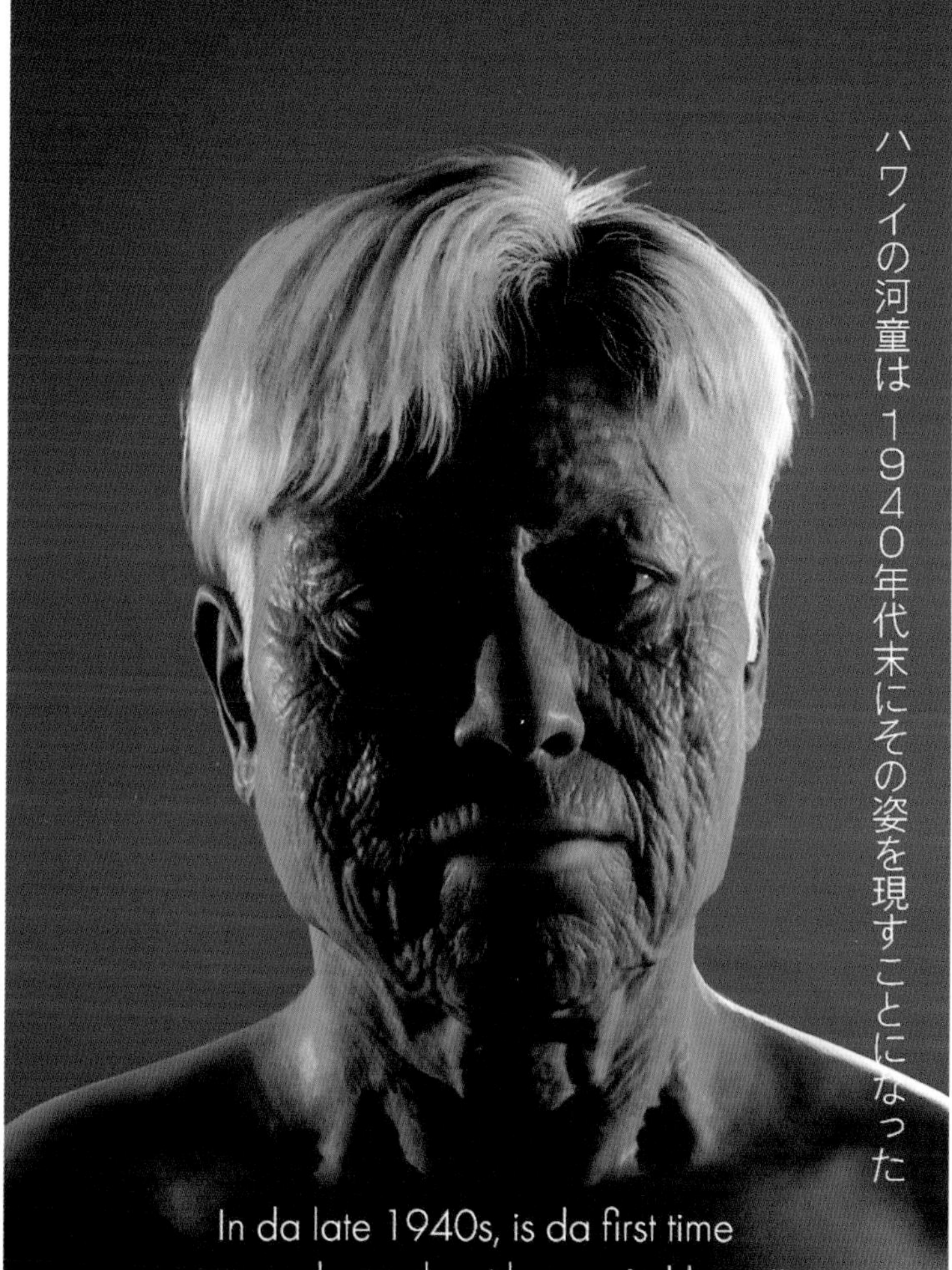
ハワイの河童は１９４０年代末にその姿を現すことになった
In da late 1940s, is da first time
you wen hear about kappa in Hawaii

チキンヘッカは 幼少期の記憶と結びついています
chicken hekka is tied to
some childhood memories

大正十一年九月

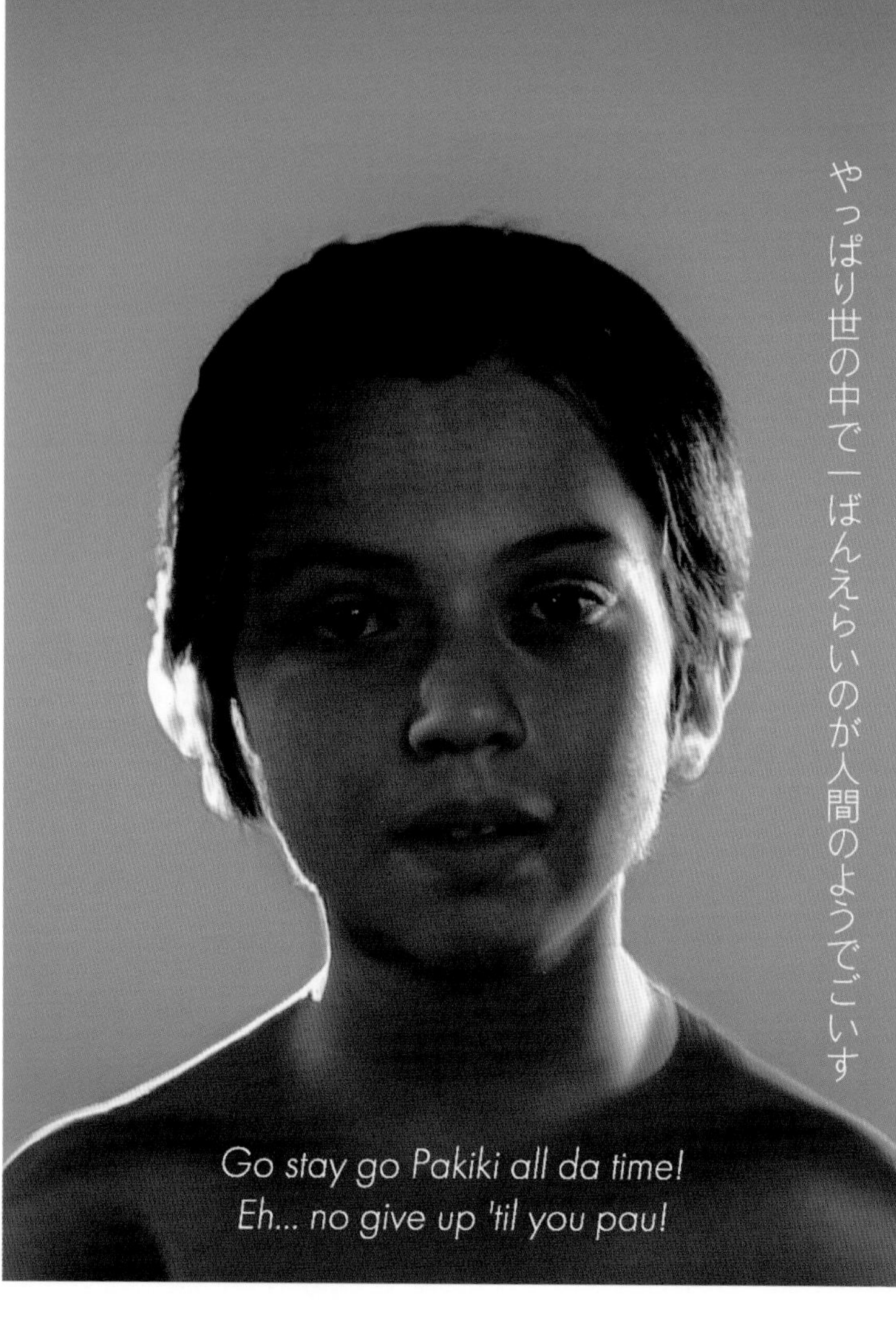
やっぱり世の中で一ばんえらいのが人間のようでごいす
Go stay go Pakiki all da time!
Eh... no give up 'til you pau!

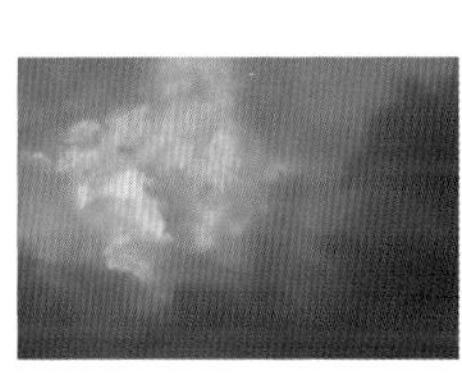

Shadowing（p. 340）
2023年、ヴィデオ（WXGA、カラー、サウンド）
7分56秒
脚本・編集・監督：原田裕規
朗読：リーン・ミチエ・キムラ、原田裕規
ピジン英語：リーン・ミチエ・キムラ
英文編集：ジェームス・ケティング
協力：カリ・アレクサンダー、ロング里那

Shadowing（p. 342）
2023年、ヴィデオ（WXGA、カラー、サウンド）
5分18秒
脚本・編集・監督：原田裕規
朗読：比嘉ラリー、原田裕規
ピジン英語：比嘉ラリー
英文編集：ジェームス・ケティング
協力：大谷マリー、比嘉美代、塚本麻莉
底本：宮本常一「梶田富五郎翁」「海ゆかば」

筆者撮影（p. 337、338、341、343、344）

Shadowing（p. 339）
2022年、ヴィデオ（QVGA、カラー、サウンド）
16分24秒
脚本・編集・監督：原田裕規
朗読：カリ・アレクサンダー、原田裕規
ピジン英語：カリ・アレクサンダー
英文編集：アンドレアス・シュトゥールマン
協力：ロング里那、チョ・ヘス、原田真衣、田中茜
底本：グレン・グラント『ハワイ妖怪ツアー』

あとがき

2022年に制作した映像作品《Shadowing》の中で、名もない男に次のような台詞を語らせたことがある。

私はいつ　どこにいても私であり　私でしかない
うんと遠くに行こうと出航しても
舵の曲がったボートみたいに同じところに戻ってしまう
その場所が「私」なんだ

第三部の「アール・ローランのダイアグラム」は、2013年に武蔵野美術大学に提出した卒業論文を加筆修正したもので、本書に収められた中ではもっとも古いテキストだ。また筆者にとって本書は、同年に上梓した編著書『ラッセンとは何だったのか?』以来、10年ぶりの本格的な書籍でもある。

この10年間で、さまざまな人と出会い、多くの土地に出かけ、言葉を紡ぎ、作品を制作してきた。そしていま思うのは、たとえ何をやっても、どこに行こうとしても、まるで舵の曲がったボートのように戻ってきてしまう場所があるということだ。

その間にぼくは23歳から33歳になり、およそ「島」のようなその場所こそが「私」であると確信するようになった。最新作の《Shadowing》は、そうした「私」のあり方を移民の生になぞらえて語った作品である。それに対して本書は、この10年の「舵の曲がった航海」そのものであるといえるだろう。

その航跡の不安定さゆえに、本書にはさまざまなモチーフが登場するようになった。副題である「ラッセン、心霊写真、レンダリング・ポルノ」の組み合わせに見られるように、類例のない一冊になったという自負がある。しかし、その完成までの道のりは決して順風満帆なものではなかった。

２０１７年春に始まった書籍製作には6年半もの歳月がかかり、その間に本書の構成は幾度となく更新されることになった。最後のテキストが書き上がったのは22年春のこと。それからは刊行までに1年半の編集期間を要した。実はこの「あとがき」を書くのもこれが2度目である。なぜなら、最初の「あとがき」執筆から半年後、２０２３年8月にマウイ島で大規模な火災が発生し、本書に何度も登場したラハイナの町が壊滅的な被害を受けてしまったからだ。

ラハイナはハワイ王国の首都であり、ラハイナ浄土院・本願寺・法光寺などが並ぶ日系人ゆかりの土地であり、そして「マリンアートの聖地」でもあった。筆者が初めてラハイナを訪れたのは２０１９年のこと。それから何度もこの町を訪れ、土地の人々に支えてもらい、本書所収の「クリスチャン・ラッセンと日本」を書き上げることができた。

また、ラハイナで偶然目にした移民の墓地は、作品《Waiting for》や論考「アンリアルな風景」の成立を促し、ラハイナの人々から聞いたエピソードは作品《Shadowing》やエッセイ「ハワイ紀行」の成立を促した。

そんな町が１日にして壊滅してしまったのだ。それをどう受け止めたらいいのだろうか。また、東北の被災にあれほど敏感に反応していたラッセンは、かけがえのない故郷が壊滅してしまった事実を前にして、現時点では沈黙している。

本書の冒頭で「とるにたらない美術」について、ぼくは次のように記していた。それは「とるにたらないとされているにもかかわらず」と説明されるものだ。「にもかかわらず」という言葉は、前提を覆したり、予定を狂わせたり、思考を飛躍させたりする機能をもつ、と。

自分以外のすべての人がそれを否定してもなお、「でも」と踵を返したくなってしまう説明不能な何か——そこから生まれる逡巡のプロセスが「舵の曲がった航海」を生み、人間の歴史を複雑にしてきた。だから実のところ、「とるにたらない」という言葉が反語的に働き、心の中で「にもかかわらず」が唱えられる瞬間を、本書は繰り返し捉えようとしてきたといえる。

それでいえば、いまのこの状況はあまりにも残酷な「にもかかわらず」的状況である。ラハイナは豊かな歴史をもち、活気に満ち、人々に愛される町だった。にもかかわらず……。

ラハイナのレストランで住職が話していたように、こうした悲劇の前には解明できる「原因」はあれど、説明できる「理由」などない。圧倒的に残酷な世界に向かって「理由を与える作業」こそが、これからの「舵の曲がった航海」——その移ろいを生み出すことになるのだろう。

すべての移ろいゆく生と、その只中にいるラハイナの人々に本書を捧げる。

２０２３年10月３日　川口にて　原田裕規

初出一覧（いずれも本書のために改稿されている）

・はじめに――菊畑茂久馬から考える……書き下ろし、２０２２年。

〈第一部〉

・クリスチャン・ラッセンと日本……書き下ろし、２０２２年。※拙編著『ラッセンとは何だったのか？――消費とアートを越えた「先」』（フィルムアート社、２０１３年）に所収の「クリスチャン・ラッセンの画業と作品――事後的評価と再召喚される「ベタ」」を大幅に加筆するかたちで書き下ろした。

・ＶＡＲ、ドローン、心霊写真……「見下ろすことの享楽――ＶＡＲ試論」中尾拓哉編『スポーツ／アート』森話社、２０２０年。

・著作の重量……「著作の重量」『note』note、２０２０年６月８日、https://note.kohkoku.jp/n/n108a4aa2143a（２０２３年２月６日アクセス）。

〈第二部〉

・アンリアルな風景……「アンリアルな風景――ＣＧ作品『Waiting for』から考える」『広告』４１６号、博報堂、２０２２年。

〈第三部〉

・**アール・ローランのダイアグラム**……「アール・ローラン論――セザンヌ作品のダイアグラム分析をめぐって」武蔵野美術大学造形学部芸術文化学科卒業論文、２０１３年。

・**バルテュスを読む**……「批評の無限後退――バルテュスをめぐる言説から」『ユリイカ』２０１４年４月号、青土社、２０１４年。

・**ＡＩ化するアーティストたち――佐村河内守論**……「佐村河内という人間、ラッセンというＡＩ」『Ｓ／Ｎ：Ｓ氏がもしＡＩ作曲家に代作させていたとしたら』人工知能美学芸術研究会、２０２１年。

・**「広告の時代」のアートとは何か？**……「「広告の時代」のアートとは何か？」『美術手帖』２０１９年６月号、美術出版社、２０１９年。

〈第四部〉

・**裏声が聞こえる――「裏声で歌へ」について**……「裏声が聞こえる」『美術手帖』２０１７年７月号、美術出版社、２０１７年。

・**つやま自然のふしぎ館と無美術館主義**……「つやま自然のふしぎ館と無美術館主義」『美術手帖』２０２１年２月号、美術出版社、２０２１年。

・**ハワイ紀行――波打ち際を歩く**……書き下ろし、２０２２年。

原田裕規（はらだ・ゆうき）

1989年生まれ。アーティスト。
とるにたらないにもかかわらず、社会の中で広く認知されている視覚文化をモチーフに作品を制作している。2019年以降は断続的にハワイに滞在し、「ピジン英語」に代表されるトランスナショナルな文化的モチーフに着目。写真、映像、パフォーマンス、CGI、執筆など、多岐にわたる表現活動をおこなっている。

主な個展に「やっぱり世の中で一ばんえらいのが人間のようでごいす」（日本ハワイ移民資料館、2023年）、「KAAT アトリウム映像プロジェクト」（KAAT 神奈川芸術劇場、2023年）、「Unreal Ecology」（京都芸術センター、2022年）、「アペルト 14 原田裕規 Waiting for」（金沢21世紀美術館、2021年）。編著に『ラッセンとは何だったのか？』（フィルムアート社、2013年）。受賞に「TERRADA ART AWARD 2023」（ファイナリスト、2023年）。作品収蔵先に広島市現代美術館、日本ハワイ移民資料館など。

2013年に武蔵野美術大学造形学部芸術文化学科卒業（優秀賞受賞）、2016年に東京藝術大学大学院美術研究科修士課程先端芸術表現専攻修了、文化庁新進芸術家海外研修制度研修員として2017年にニュージャージーに、2021年にハワイに滞在。

とるにたらない美術
——ラッセン、心霊写真、レンダリング・ポルノ

2023年11月20日　初版第1刷発行

著　　者　原田裕規

編　　集　五十嵐健司

デザイン　加瀬透

発 行 者　石山健三

発行所　ケンエレブックス
〒101-0064　東京都千代田区神田猿楽町2-1-14 A&Xビル4F
TEL：03-4246-6231
FAX：050-3488-1912
URL：https://kenelephant.co.jp/books/
E-MAIL：info.books@kenelephant.co.jp

発売元　クラーケンラボ
〒101-0064　東京都千代田区神田猿楽町2-1-14 A&Xビル4F
TEL：03-5259-5376
FAX：050-3488-1912

印刷所　株式会社シナノパブリッシングプレス

ISBN 978-4-910315-31-7　C0070